新潮文庫

おまけのこ

畠中　恵著

JN286458

新潮社版

8327

目次

解説　谷原章介

挿画　柴田ゆう

おまけのこ

こわい

こわい

1

狐者異《こわい》は妖《あやかし》としてこの世に現れ、その名を頂いたときから、他の者とは違っていた。人と違い、様々な形《なり》を取るのが妖であったから、それは見目形の多少の差という問題ではなかった。

妖であるから、狐者異は平素、人とはまじわらない。だが己《おのれ》と同じ妖にも受け入れられない。狐者異は狐者異として生まれた初めから、その存在そのものが、他の者からはじき出されていたのだ。

江戸は八丁堀の、小さな寺に行き着いたときも、ただしばらく、その場所で過ごしたいと思っただけだ。しかし寺には先客がいた。この時も例によって、狐者異は歓迎されなかった。

どうしてこんな身の上なのか、狐者異自身、聞かれても、しかとは答えられない話であった。ただ、高慢であると言われ、無分別であるとそしられている。そんな者は他にもいると口にすれば、強情という言葉が、更に降ってくる。

仏すらも狐者異を厭《いと》い、恐れたまうという。かほどの方にまで嫌われれば、この世に身の置き所もない。

何故に狐者異一人のみ、こうもあさましい身の上なのか。憤《いきどお》り、誰ぞにわけを答えて欲しいと願うが、尋ねる相手すらまた、狐者異は持たなかった。

廻船《かいせん》問屋兼薬種《やくしゅ》問屋、長崎屋は、江戸一繁華な通町《とおりちょう》にある大店《おおだな》だ。土蔵作り漆喰《しっくい》仕上げの店は、間口が十間以上あり、しかも廻船問屋と薬種問屋、並んだ二軒の問屋どちらもが、長崎屋の店であった。店では三十人ばかりの奉公人が働いている。

廻船問屋の方は、三隻《せき》の菱垣《ひがき》廻船や数多《あまた》の茶船《ちゃぶね》を持ち、その商売は見かけ以上に大きい。あちこちの河岸には長崎屋の蔵があり、店にいて奉公している者以外にも、多くの水夫《かこ》や人足が長崎屋の商売の一端を担《にな》っていた。

薬種問屋の方は、廻船問屋よりも一回り小さい。体の弱い若だんなの為に薬種をあちこちから集めている内に、商いが大きくなり一本立ちさせたものであった。元々が商売抜きで始めたことだったから、良い薬種が安い値で揃《そろ》っていると、こちらの評判もなかなかなものだ。

薬種問屋の方は、一粒種の若だんな一太郎《いちたろう》が任されていることになってはいた。だが長崎屋でも他の多くの大店と同じく、実際に店を切り回しているのは頼りになる番頭であった。

もっとも長崎屋の場合は、他とはいささか異なった理由があったのだが。何しろ若だんなは、朝起きると、無事であったと周りに喜ばれ、立ち上がると、病では無かったとほっとされるという、筋金入りの病弱であったからだ。

だから大概は店表《みせおもて》には出ず、いつも寝起きしている凝った作りの離れで、兄《にい》や達に囲まれ大人しくしている。そこの中庭に向いた縁側で、日向ぼっこでもしているようだと、今日も元気だと両の親たちは、ほっとするのであった。

ところが若だんなは若だんなであったから、いつも元気に日向ぼっこをすることが出来ない。今日も例によって、枕《まくら》から頭を上げることが出来なくなっていた。

昼下がり、離れで寝付いている若だんな一太郎の枕元に、恐ろしい顔の小鬼が数多、暗がりから湧《わ》いて出て集っていた。

小鬼達はちらりと空の菓子鉢に目をやった後で、若だんなの方を心配げに見る。菓子を部屋に置いていないということは、若だんなは今、甘い物も喉《のど》を通らない病状なのだ。何匹かが布団《ふとん》に上がり込んで、小さな手で若だんなのおでこを優しく撫《な》でる。途端に、一匹が驚いたような声を上げた。

「あれま、こんなに若だんなの額が熱い！　これは一大事だよ。大変だよ。死んじゃうよ」

「若だんなぁ、死んじゃあ嫌ですよぅ」

「薬だ、医者だ、どうしてすぐに呼ばないんだい？」

小鬼達の騒ぎに、別の声が重なっていた。屏風《びょうぶ》から派手な石畳紋《いしだたみもん》の着物を着た男が、半身を抜け出して、怒鳴《どな》っていたのだ。達磨《だるま》絵の付いた火鉢《ひばち》の前で薬湯を用意していた佐助《さすけ》が、それにうんざりした声を返した。

「こら、勝手に若だんなを重病人にするんじゃないよ」

佐助も若だんなも、尋常でない姿を見ても、騒ぎもしない。皆、長崎屋の離れでは馴染《なじ》みの者だったからだ。恐ろしい顔の小鬼達は鳴家《やなり》という妖で、巣くった家をぎしぎしと軋《きし》ませる者どもだ。石畳紋の着物の男は、屏風のぞきという付喪神《つくもがみ》であった。

そもそも長崎屋の先代の妻が、齢《よわい》を重ねた皮衣《かわごろも》という大妖《たいよう》で、若だんなはその孫であった。若だんなはただの人だから、何が出来るでも無いのだが、とにかくわずかばかり妖の血を引いている。おかげで妖がいれば分かったので、普段からお八つや酒をあげたりしていた。そのせいか長崎屋の離れは、いつも妖たちで賑《にぎ》わっていた。

若だんなの兄や達、仁吉《にきち》と佐助とて人ではない。仁吉の本性は『白沢《はくたく》』という妖であった。切れ長の目に整った面《おもて》をしていて博識。齢千年を越える。佐助はこれも『犬神《いぬがみ》』という妖で、競うように長寿で大層力が強い。ごつい顔立ちに身の丈は六尺に近い偉丈夫だ。四六時中気合いを入れて若だんなを甘やかす上に、心配性なこの二人の手代《てだい》は、祖母が寄越してくれた者達であった。

側《そば》にいる分、妖達も病弱な若だんなの病には慣れてはいたが、今回はやや様子が違うので、皆心配している。若だんなが臥《ふ》せって今日で十日、そのうち七日は、いつものように熱を出して、いつものように寝付いていた。医師源信《げんしん》の往診と、苦い薬も毎度のことで、若だんなは慣れている。うんざりして苦しいには違いなかったが、病には老練家である若だんなは、結構元気に病人をやっていた。

問題はその後の三日で、仲の良い友達の栄吉《えいきち》が見舞いに来た後、若だんなはすっかり意気消沈して、顔色が悪くなった。熱が再び上がり、おまけにちっとも下がらなくなってしまったのだ。

若だんなが寝るのに邪魔だと、心配して集まる鳴家達を佐助が追い払っているが、何しろ数が多いから、どうにもならない。その兄やに向かって、若だんなが臥せったまま苦しそうな声を出した。ずっと気にかかっている事があって、その気持ちが若だんなを、ぐっすり寝かせてくれないのだ。

「私は……栄吉にあんなこと……言うつもりじゃ、なかったんだよ」

佐助が眉《まゆ》をひそめる。有り体《てい》に言えば、若だんなは栄吉と大喧嘩《おおげんか》をして、体に響くほど落ち込んでいたのだ。

幼い子供の頃を除けば、こんなに酷《ひど》い喧嘩をしたのは、若だんなには初めての経験だ。どこまでもどこまでも甘い甘い両の親と、とにかく若だんなさえ幸せに過ごしていれば、世の中は平穏無事だと信じ切っている二人の兄やに育てられたせいか、若だんなはふんわり優しい気性に育った。

一方幼なじみの栄吉は、長崎屋のすぐ近くにある小さな菓子司、三春屋《みはるや》の跡取り息子だ。若だんなが、ため息が出るほどせっせと死にかけているのを、よく承知していて、まめに離れに見舞いに来てくれる。体の弱い若だんなにとって、大事な一番の友だった。

そんな二人が言い争いをしたのだ。喧嘩の原因は、他愛なくも深刻なものだった。

「あの喧嘩は仕方ありませんよ、若だんな。栄吉さんだって、そのうち機嫌を直すでしょう。だって事のきっかけは、あのもの凄《すご》い味の、栄吉さんの饅頭《まんじゅう》ですからねえ」

栄吉はまだ気にしているだろうか。若だんなは半泣きの顔で、三日前のことを思いだしていた。


「一太郎、見舞いに来たよ」

寝込んでから七日目の八つ時、長崎屋の離れに、友が姿を現した。若だんなは調子が良くなってきていて、夜着《よぎ》の下から友に笑顔を向けた。

栄吉は、そろそろ食べられるようになっただろうと、若だんなに甘いものを下げてきてくれた。菓子屋の跡取りだと言うと、冗談かと疑われそうなほど菓子作りの腕のない栄吉だったが、本人はまめで努力家だ。そのことを心得ている若だんなは、近所に鳴り響くほど不味《まず》いと言われる栄吉の菓子を、日頃からせっせと買っていた。

「今日の饅頭は、気合いを入れて作ってみたんだ。どうかね」

菓子を食べようと、布団の上に身を起こした若だんなは、友にそう言われ、何となく不安になった。少し前に妹を嫁にやった栄吉は、もう己しか三春屋の跡取りはいないのだからと、親から菓子の作り方を習い、頑張って修業している。

ところが真面目《まじめ》に作れば作るほど、どうにもならないような、妙な味のものが出来るから不可思議な話だ。側にいた仁吉が力作の饅頭と聞いて、急いで鉄瓶の湯を急須《きゅうす》に注ぎ、茶を淹《い》れている。

「いつも済まないね。ご馳走《ちそう》になるよ」

若だんながひょいと一つ、竹皮の上からつまんで、口に放り込んだ。薄茶色の饅頭は小ぶりで、難なく喉を通るはずの物だ。

ところが。

「ぐっ……ううっ」

嚙《か》んだとたん、若だんなの口から、断末魔のうめき声のようなものが漏れた。

（もの凄く甘くて、そのくせ舌が痺《しび》れるようにからいよ……）

しかも所々に胡椒《こしょう》の塊《かたまり》のような、むせかえる風味がある。どうして饅頭を食べているのに、強烈な胡椒の味がするのだろう。

思い切り咳《せ》き込んだ。考える間もなく、口から饅頭が飛び出していた。

「げほっ、ぐはっ、ふえ……っ、けほほっ」

「若だんな、水を飲んで下さい！　早く」

熱い茶をすすったのでは間に合わない。仁吉が差し出した水差しの中身を、慌《あわ》てて流し込む。喉がびりびりする。ぶり返した咳は、なかなか止まってくれなかった。胸が痛い。

「……不味かったみたいだね。でも」

栄吉が布団の脇《わき》でおろおろしながら、何となく、べそをかいたような顔つきで言う。

「吐き出すことは、ないんじゃないかい？」

「わ、私だって……げほっ、食べる気で、くほっ、いたさ。でも、今日のはあんまりだよ」

息があがる。栄吉の顔が強《こわ》ばった。

「あんまり、何だってんだい」

声がとんがっている。水を飲んでいる若だんなの顔つきが、硬くなった。

「言えないよ。だって……げふっ、げほほっ、聞きたくないだろうからさ」

「言えるもんなら、言ってみなよ！」

片や、げほげほと咳き込み、一方は泣きべそをかきつつの、妙に情けない言い合いとなった。止めに入るかと、若だんなはちらりと兄やを見たが、仁吉は若だんなの咳止めの薬を用意するのに忙しい。大体人ならぬこの手代は、若だんなの心配はするが、栄吉の機嫌なぞ、かけらも気にしたりしないのだ。

（だって……言えやしないよ。さんざん皆から聞かされて、うんざりしている言葉だ

ろうからね)

返事をしないでいると、栄吉が言いつのってきた。その顔つきが憎たらしい。

「言えないのかい？　ふんっ、病人だからって、大げさに騒ぎすぎなんだよ」

「なんっ、けほっ、だってえっ」

誰も好きで、臥せっている訳ではない。若だんなは咳き込みながら、涙を滲《にじ》ませた。せっかく床上げ出来そうだったのに、これでは明日もきっと、寝ていなくてはならない。もう黙っていられなかった。

「不味かったんだっ。それで喉を通らなかったんだよっ」

栄吉の顔色が、さっと白くなった。体が小さく震えている。唇の端を噛むと立ち上がり、そのまま口もきかずに、庭先から帰っていく。若だんなは益々酷くなる喉の痛みに閉口しながら、その後ろ姿に声をかけずにいた。

(私の方から口をきいたら、こっちが謝ることになるもの！)

若だんなが意地で黙っている中、土蔵脇の木戸が閉まる音がした。行ってしまったのだ。

(なんだい、栄吉の……ばかっ)

若だんなはなおも咽《む》せ返りながら、暫《しばら》く庭にふくれ面を向けていた。そうしている間に、部屋の隅の暗がりから鳴家達が顔を出してくる。若だんなに見舞いが来た後は、大抵菓子が残っている。それを目当てに転がり出て来たのだ。

ところが。

竹皮の上の饅頭をぱくりとやった鳴家が、いきなりひっくり返ってしまった。首を傾《かし》げた次の一匹が食べる。やはり目をむいて、ぱたりと倒れる。三匹目が倒れたところで、他の鳴家達がぴいぴいと悲鳴を上げ、一斉に饅頭から離れた。今日の菓子は、まさに恐ろしい出来であった。

「鳴家達が食べられないとは。こりゃあ、食べ物とは呼べませんね」

仁吉は、およそ栄吉には聞かせられない一言をあっさり言うと、饅頭を包み直し懐《ふところ》に入れる。そしてとびきり苦い胃の腑《ふ》の薬と、えぐい風味の咳止めを、ざぶりと茶碗に混ぜ入れ、若だんなの目の前に出したのだった。

2

あれから三日。若だんなは寝込んだまま、喧嘩のことを大いに反省していた。

(菓子まで持って見舞いにきてくれて、本当にありがたいことだったのに。栄吉には、

きついこと言ったよ）

佐助が廻船問屋の仕事で店表に戻ってしまえば、あとは一人きり。病とばかり親しい若だんなには、誰が訪ねて来るあてもない。臥せったまま、障子《しょうじ》を開けて中庭を眺めつつ、寂しさを募らせていた。

日頃、喧嘩などしたことがないから、事を収める方法が分からない。一体どうやって栄吉に謝ればいいのだろう。若だんなは横を向いて、部屋の隅の華やかな屛風に声をかけた。

「屛風のぞきや、ちょいと話し相手になっておくれかい？」

「おや、なんだい若だんな」

馴染みの妖《あやかし》は、すいと絵の外へ身を乗り出した。

「私がお前さんを、酷く怒らせたとする。どう謝れば許しておくれかな？」

「何だって！　どんな酷いことをする気なんだい？　あたしはいつも役に立っているのに、どうしてそんなことをするんだい。もう知らないからね！」

一気に大きな声でまくし立てると、屛風のぞきはさっと屛風の中へ戻ってしまった。若だんなが疲れたような声を出す。

「まだ私は、何もしていないと思うんだけど」

「……おや、そうだっけ？」

妖は疑り深い声を出し、屏風から出てこなくなった。仕方なく今度は部屋にいた鳴家達に目を向ける。するとそれだけで小鬼達は、ぱっと後ずさり、きゃわきゃわ、きーきーと興奮した声をあげた。

「それで若だんな、我らにどんな酷いことをしたいんですか？」

「あのねえ、どうしてそういう話になるんだい？　まったく……難しいよ」

やはり仲直りというのは、簡単ではないらしい。それに栄吉の菓子が不味いという事実が、ことを難しくしている。あの言葉が冗談だったとは、言えないからだ。

「ああ、いっそ手妻《てづま》のように、菓子作りの腕が上がるまじないでも、ないかしらね」

「あるよ。薬で良ければ」

庭の方から返事があった。若だんなは思わず枕から頭を浮かせ、声の方を向く。見れば庭に、目玉のぎょろりとした、十四、五ばかりの見知らぬ若者がいた。

薄青い着物を着ている。見ている間に近寄って来ると縁側に手をかけ、部屋にある気晴らしの品を、興味津々《しんしん》の顔つきで見た。先に長崎から船で運ばれてきた、きらきらと日の光をはじくギヤマンの紅《あか》い文鎮《ぶんちん》が、特に気になるみたいだ。

「お前さん、誰だい？」

どうして庭にいるのかと声をかけたところに、母屋《おもや》の方から鋭い声がかかった。

「お前、狐者異じゃあないか。何用だ」

中庭に姿を現したのは仁吉で、見かけない者から若だんなに目を移し……剣呑《けんのん》な顔つきをしている。後ろにいるのは馴染みの岡っ引き、日限《ひぎり》の親分だ。通町界隈《かいわい》が縄張りで、通一丁目を西に入った西河岸町にある、日限地蔵の近くに住んでいる。それで清七《せいしち》親分というより、日限の親分という名の方がよく知られていた。親分は暇になったり、困ったことが起こると、よく長崎屋の離れに顔を出す。今日もいつものように、捕り物の自慢話でもしに店に顔を出したので、仁吉が離れに案内してきたのだろう。

「おや、先客がいるとは珍しい。妙な名前の御仁《ごじん》だね。若だんな、どういうお人だい？」

親分に聞かれて、若だんなは返事に詰まった。狐者異とは何者か、白沢という妖である仁吉ほどは博学ではないから分からない。だが、ともかく目の前の若者が、人ではないことは見て取れた。

（この若いの、妖だね）

それにしても、今聞いた言葉は本当だろうか。この妖は、薬で職人の腕前を上げることが、出来ると言ったのだ。そこにまた、仁吉の鋭い声がする。

「親分さん、こいつは若だんなの知り合いじゃ、ありませんよ。こら、勝手に中庭に入り込んじゃ駄目だろうが！」

どうも仁吉は、この妖が気に入らぬ様子だ。いや、それどころか、何となく恐れているようにすら見える。

（まさかね……）

その仁吉の顔を、狐者異がきっと睨《にら》み返した。

「邪険にするなよ。言ったろう。おいらは天狗《てんぐ》からもらったとびきりの薬を、一服だけ持っているのさ。今日はそいつを薬屋に売りに来たんだ。何が悪い」

「薬種問屋長崎屋は、堅い店なんだよ。怪しげなものを持ち込まれたって、買ったり売ったりしないのさ」

「そっちの若だんなは欲しいってよ。ちゃんと聞いたんだ。だから声をかけてやったのに」

狐者異はふてくされた顔を、若だんなに向けている。その手がいつの間にやら、紅のような色のギヤマン文鎮を引き寄せて、なでている。若だんなは思わず聞き返した。

「天狗の薬？　本当に効くのかい？」

「嘘《うそ》は言ってない。そいつを飲めば、たちまち一流の職人さ」

「若だんな、妙なものに手を出しちゃあ、駄目ですよ」

「話を聞くくらい、いいじゃないか」

仁吉が止めても、若だんなは思い止《とど》まることが出来なかった。体を布団の上に起こす。もし……もし本当に、飲めば栄吉の作る餡子《あんこ》が美味《おい》しくなる、なんて薬がこの世にあるのなら、何としても見てみたい。

「その薬は立派なものさ。間違いなく、信濃《しなの》の国で天狗の三郎坊《さぶろうぼう》からいただいたものだよ。ただ最初にもらったのは、おいらじゃない」

暫く前の大嵐《おおあらし》のとき、山里に住む一人の職人、櫛師《くし》のところに、天狗の羽うちわが飛んできたのだ。壊れていたので櫛師は直してやった。それを捜しに訪れた天狗に、礼に何を望むかと聞かれ、その男は職人として更なる腕の上達を願った。

「ところがその後、職人の息子が病にかかった。男は天狗にいただいた不可思議な丸薬より、子供の薬を欲しがった。おいらは良く効く薬草を持っていたから、交換したんだ」

「それじゃあ、その薬ってのは本物なんだね。こいつは驚いた」

頓狂《とんきょう》な声を上げたのは、横で聞き入っていた日限の親分だ。江戸でも繁華な通町ではお目に掛からないが、この世に天狗や河童《かっぱ》や鬼がいることは、皆が承知している。

天狗が授けた薬なら、さぞかし効くに違いないのだ。

　岡っ引きが目を輝かせて近寄ってきて、己も欲しいと言い出した。狐者異が首を振る。

「あんた岡っ引きだろう？　捕り物の腕は、上がらないよ。職人じゃあないんだから」

「俺は、皆が認めるほどいつも腕前が冴《さ》えているから、そんな薬はいらねえ。だが、妹の亭主が袋物《ふくろもの》師なんだ。稼ぎが悪くて、妹は愚痴《ぐち》ばかり言ってる。あいつはその薬を、もの凄《すご》く欲しがるに違いないよ」

　日限の親分は事の謎解《なぞと》きに困ると、長崎屋の離れに来たりするのだが、そのことは今、きれいに忘れているようだ。

「それで、いくらなんだい？」

「一服しかないんだ。金じゃあ売らねえ」

　狐者異は人ではないから、欲しがるものもまた違うのだろう。では何と交換するのかと問われ、狐者異は迷うように首を傾《かし》げた。

　その時そこに、突然他から声がかかった。なんと頭の上の方からだ。

「ちょいと、いいですかい。職人としての腕が上がるなら、わっちもその不思議な薬とやらを拝みたいんですが」

若だんなが布団からはい出て、庭を見回すと、左官《さかん》が一人梯子《はしご》の上で、裏庭に建つ土蔵の二階、窓脇《わき》の漆喰《しっくい》を塗り直していた。力蔵《りきぞう》だと名乗る。

「わっちにゃあ夢があるんで。そのためにぜひ、飛び抜けた左官の腕を持ちたい」

その時更に、庭の松の木辺りからも、おずおずとした声がした。

「あの、俺も話に加わらせてもらえませんか。俺には……どうでも添いたい相手がいるんですが、今のままじゃあ……」

声の主に、若だんなは見覚えがあった。まだ二十歳《はたち》そこそことみえる植木職人は細面で、なかなかに涼しげな顔立ちだ。確か万作《まんさく》といった。黒いわらび縄を手に持ち、真剣な顔つきで狐者異を見ている。

「おや増えたたね。四人ばかり、おいらの薬が欲しいみたいだ」

人気があると見て、狐者異は何だか嬉《うれ》しそうな顔をした。

「だったら、こうしよう。おいらにも欲しいものがある。そいつを言い当てて、望みを叶《かな》えてくれた者に薬を渡すよ。それがいいや、楽しいから」

「止《や》めて下さいよ、若だんな。誘いに乗っては駄目ですよ！　皆も思い止まってください。狐者異には関《かか》わらぬ方がいい。甘いだけの話なぞ、あるはずもないでしょうが」

仁吉は止めたが皆引かなかった。競争相手があると、己だけ止《よ》すことはなかなか出来ない。隣にいる者が、己の欲しい物を手に入れるかもしれない。それが悔しいからだ。

若だんなとて、栄吉のためだと思うと諦《あきら》める気になれない。それどころか、真っ先に狐者異に声をかけた。

「欲しいものねえ。じゃあ、さっき手にしていた、赤いギヤマンの文鎮をあげようか。気に入っていたみたいだし、どうだい？」

若だんなの言葉に、岡っ引きが慌《あわ》てた。

「ちょ、ちょっと待ったぁ。すぐにと言われても……。そうだ、可愛《かわい》い子犬はいらないかい？　ちょうど一匹、もらえることになっているんだ」

この申し出に狐者異が首を振る。犬は苦手だという。文鎮もちらりと見たが、やはり首を縦に振らない。残った二人の内、左官が梯子から降りてきた。

「わっちはいずれ、親方と呼ばれるようになりたくてね。その為に必要なのは、腕前と運と金だ」

金が要《い》らないのなら、運をやろうと力蔵はいう。土蔵脇に置いてあった合財袋《がっさいぶくろ》から縞《しま》の財布を出し、力蔵は中から大吉と書かれたお神籤《みくじ》を、三本出した。

「こいつを引いてから、わっちには運が向いてきた。本当だぜ。だから大事に今まで、取っておいたんだ」

それを渡そうという。だが狐者異はどうにも機嫌悪そうに、そっぽを向いた。

「……神仏とは、親しくないんでね」

残ったのは庭師、万作だ。

「俺の親方は良い人なんだ。だが、おすみお嬢さんを嫁がせる相手として、俺には腕も経験も足りないと……。だからどうでも、その」

「身の上話はいいから、お前さんは何を差し出すのか、すぱっと言いねえ。じれるじゃないか」

急《せ》かしたのは日限の親分で、己が断られたものだから随分と機嫌が悪い。万作はしばし言葉に詰まっていたが、やがて顔を上げると庭の隅を指さした。

「今日、あそこに植えたのは菊だ。新しい種類で、そりゃあ沢山《たくさん》の黄色い花を付けるんだよ。手元にある苗を、咲くまで俺が育てて、お前さんに届けよう。どうかな？」

万作は期待を込めた目を向けたが、狐者異はただ、うんざりした顔をしている。

「面白くもない。そんなんじゃ、薬は渡せないね」

狐者異が憮然《ぶぜん》として言い捨てた途端、その着物の襟首《えりくび》を、後ろから摑《つか》む者がいた。仁吉だった。狐者異を強引に縁側から引き剝《は》がす。

「話は終わったみたいだね。妙な薬が誰にも渡らなくて幸いだ。ひょっとしたら、薬の話そのものが嘘だったのか」

とにかくもう、長崎屋には顔を出すなと釘を刺し、狐者異を木戸へ引きずってゆく。

「止《や》めろっ、薬は持ってる。本物なんだぞ！」

「おい仁吉さん。どうした、随分と乱暴な」

日限の親分の声を気にもせず、仁吉は狐者異を、木戸から放り出した。さっと戸を閉めてしまう。

だがそれを見ても、諦めきれない者がいた。なにしろ目の前にぶら下がっていたのは、己の一生を変えるかもしれない、めっぽう素晴らしい一服なのだ。まず万作が動いた。

「菊は植えました。今日は……これで失礼します」

言うなり、狐者異の消えた木戸の向こうへ、急いで出て行く。万作が後を追ったと分かると、岡っ引きや力蔵も慌てて若だんなに挨拶《あいさつ》をし、競うように外へ走り出ていった。

「ちょいと、親分さん！　狐者異は剣呑だと言ったでしょうが……ああ、行ってしまった。全くしょうのない。人っていうのは困った生き物ですね」

仁吉はうんざりとした顔でそう言い捨てると、布団から抜け出て、縁側に座っている若だんなに目を向けた。

「でもね仁吉、私も……」

木戸の方を見た途端、若だんなはあっさり仁吉に抱え上げられ、夜着の下に放り込まれてしまった。仁吉は横にきちんと座ると、若だんなの額に手を当て、熱を測る。それから一つため息をつき、岡っ引き達がいたときは口に出来なかったことを、話し始めた。

「狐者異と言う妖《あやかし》は、妄念《もうねん》と執着の塊なんですよ。元々そういうものなんです。狐者異のことは御仏《みほとけ》でさえ、呆《あき》れて嫌うと言われてます。若い姿で長崎屋に現れて、何をする気なのやら。心配ですね」

「それはまた、……凄い言いようだ」

若だんなは横になったままで、驚いた顔をした。兄やの仁吉が、ここまで他の妖のことを悪《あ》し様《ざま》に言うのも珍しい。余程《よほど》、剣呑な妖なのだろうか。

「大体この世に、飲んだら腕の良い職人になれる不可思議な薬なぞ、あろうはず無いですよ。不老長寿の薬と触れ込みの、木乃伊《ミイラ》と同じです。若だんなは薬種問屋の若主人でしょう？　頭を冷やして考えてみれば、胡散《うさん》臭い話だと、すぐに分かることで」

断言されて、若だんなは眉尻《まゆじり》を下げる。だがその時、ふと思いだしたことがあった。

「でも昨日、仁吉は稲荷《いなり》神が持っておいでだったという、ありがたくて苦ーい薬を、私に飲ませたよね。あれは何なんだい？」

「これのことですか？」

仁吉が懐《ふところ》から薬を取り出す。表に朱と藍《あい》で、何とも仰々しく色刷りがされていた。

「飲めばたちまち、熱が下がるという話だったんですよ。少し飲んでみましたが、毒ではないし、試しに使ってみようと思いまして」

「……やっぱり薬は使ってみなきゃ、分からないんじゃないか！」

若だんなが頰《ほお》をふくらませる。この言葉を聞いて、仁吉が顔を近づけてきた。その黒目が糸のように細い。怒ってはいないし、仁吉が若だんなのことを、心底心配してくれているのは分かっている。それでも。

今日は、今は、何だか仁吉が怖かった。

「若だんな、狐者異に近づくと、とんでもないことになりますよ。止めて下さい！」

こうもはっきり忠告されると、無茶をするとは言いだしにくい。

（栄吉の餡子《あんこ》が、美味《おい》しくなると思ったのに）

そうしたら、すぐにも仲直り出来るに違いない。若だんなは転がっていた真っ赤な文鎮を手にして、大きくため息をついたのだった。

3

二日後、若だんなは何とか床上げをした。

まだ店表《みせおもて》には出してもらえない。大皿に団子をたっぷりと盛って離れの居間に置いておくと、鳴家達が出てきて、食べたり文鎮を玩具《おもちゃ》に遊んだりしている。暫《しばら》くはそれを見て和《なご》んでいたが、昼九つまでは少し間がある刻限に、鳴家達が突然部屋の隅に散った。

「栄吉じゃないか。よく来ておくれだね」

若だんなは急な友の来訪を喜んだものの、今日は顔が強《こわ》ばって、いつものように開けっぴろげに笑えない。

（喧嘩《けんか》の一件、うまく謝らなきゃ、謝らなきゃ、どうにかして……）

とにかく部屋に上がるよう勧めたが、栄吉の方も、いつになくもの堅い感じで首を振り、縁側に座ってしまう。早々に喋《しゃべ》りだした。

「一太郎、大事が起こったのは知っているだろう？　貼《は》り薬や痛み止めなんかを少し、分けちゃくれないか。いや、あと二人分はいるかもしれないから、多めにおくれな」

「……栄吉、何の話か分からないよ。薬が欲しいというなら用意するけど、一体、何がどうしたんだい？」

若だんなが首を傾げつつ返事をすると、見るからにぴりりとしていた栄吉の様子が、ぐっと落ち着いた。どうやら寝付いていた若だんなが、今回も噂《うわさ》を摑んでいないと察したらしい。一つ息をつき、詳しく説明し始めた。

「友達が、体中を殴《なぐ》られて怪我《けが》をしたんだ。裏の長屋に住んでて、左官の力蔵という」

「力蔵さん！　長崎屋にも、来てもらっているよ。具合はどんなだい？　いや話の前に、やることがあるか」

若だんなが部屋にある小さな銅鑼《どら》のようなものをばちで叩《たた》くと、すぐに店表から離れに小僧がとんできた。少し思案したあと、若だんなは文机《ふづくえ》の上で紙に薬の名と量を書き、小僧に渡す。番頭に調合してもらい、袋に入れてくるよう言う。小僧が走って戻っていくと、栄吉が話を続けた。

「力蔵を殴ったのは、願人坊主《がんにんぼうず》などをしている、怪しげな流れ者たちだ」

楓川《かえでがわ》を渡って東の方、八丁堀は玉円寺の近くに、住職すらいなくなり、うち捨てられた小さな寺があった。今はただ、荒れ寺としか呼ばれなくなったそこに人が入り込んで、暫く経《た》っている。そいつらにやられたのだ。

「八丁堀？　どうして荒れ寺へなんか行ったのかね。仕事だったのかい？」

「力蔵は、狐者異って言う名の若いのに、そそのかされたんだよ。流れ者を荒れ寺から追い出した者に、天狗の妙薬をやると言われたらしい」

「天狗の妙薬？……」

そこまで聞いて、やっと話の要《かなめ》が分かった。若だんなはおずおずと、栄吉の方を見る。喧嘩の原因である、飲めば一流の職人となれる一服のことを、栄吉も聞いたに違いない。そして友は薬のことを話すとき、どう見ても機嫌の良い顔をしていなかった。

「その、栄吉はその薬の話を聞いて、欲しいとは思わなかったの？」

尋ねると栄吉は足元に目を落とし、妙な笑い方をした。それから真《ま》っ直《す》ぐに、若だんなの顔を見てくる。

「一太郎、お前さんも薬を欲しがったんだって？　職人じゃあないのに、どういう訳だい。もしかして、俺のために手に入れようとしたのかい？」

「だって……菓子を上手《うま》く作りたいって、栄吉はいつも言っていたから」

「俺は自分の力で上手になりたいのさ。裏口を使うようなやり方は、したくない」

言われて、若だんながさっと顔を火照《ほて》らせる。だが栄吉の話には、先があった。

「なんてね。そう言やあ格好良いが、俺はそんなに人が出来ているわけじゃない。欲しいと思ったよ。本音だね」

ただね、と、にっと笑って言葉を継いだ。

「俺は薬を飲もうとは思わないんだ。そいつに頼るのが怖いからさ」

　飲んで本当に効いたら、寸《すん》の間は極楽に行った気持ちになれるかもしれない。だが直《す》ぐに、いつ効き目が無くなるかしれないと、怯《おび》えそうだ。人から褒《ほ》めて貰《もら》っても、天狗の薬が褒められたのと同じで、どうにも嬉しくないと思う。菓子の売り上げと引き替えに、いつかは己の力で菓子職人としていっぱしになるという夢が、消えて失《う》せる気がする。

　どう考えても、栄吉が持っている夢とは、何かが違うという。

「だからね、俺に、その薬は無用なのさ」

「……うん。ごめんよ」

「でも、一太郎には心配をかけているなあ。先も済まないことをしたもんな。見舞いの品で病人の具合を悪くするなんて、情けない話だよ。悪かった」

栄吉はさっぱりと謝ると、頭を掻《か》いている。それを聞きながら、若だんなはぽろりと一粒涙を流した。着物の膝《ひざ》辺りを握りしめる。栄吉がそれを見て慌てた。

「一太郎、どうかしたのかい……」

「情けないのは、私の方なんだ。妙な薬のことなんか考えずに、さっさと栄吉に謝ればよかったものを」

妙薬があると聞いて、欲しいと思ってしまった。本当にみっともない。

「でも、己のためじゃないだろう。一太郎、お前さん、すぐに丈夫になれるという霊薬があったら、飲んでいたかい？」

「いらないや。薬なら山ほど試してきたけれど、どれも苦くて嫌いだよ」

二人は目を見合わせ、笑い出す。

そのとき店表から、小僧が薬を持ってきた。皿にまだあった団子をやると、小僧は嬉《うれ》しげに、ぱくりとかぶりつきながら戻っていく。若だんなは紙袋の中を確認して、貼り方、飲み方を栄吉に教えた。

「湿布《しっぷ》と痛み止めだよ。たっぷり入っているから、三人分はあるはずだ。ところで、力蔵さん以外の二人は誰なの？」

「日限《ひぎり》の親分さんと、庭師の万作だ。これから怪我をするはずなんだよ」

若だんなが目を見開く。

「……するはず、ってどういうことだい？」

栄吉が聞いたところによると、寝込んだ力蔵の他に、親分と万作も狐者異の提案を受け、流れ者達を荒れ寺から追い出すと約束したらしい。しかし薬は一粒だけだから、三人は別々に動いた。力蔵が袋叩きにあったとき、他の二人は寺にいなかったのだ。

「でも、二人ともいずれ流れ者達の所に行くだろうし、怪我をしないはずはないと思ってね。それで先に薬だけ貰ったんだ」

「ねえ栄吉、それなら二人を捜して、止めた方がよかあないかね。万作さんはひ弱そうだったし、親分さんは岡っ引きだ。流れ者達とは日頃角突き合わせているから、特に念入りに殴られるかもしれないよ」

栄吉は眉尻を下げる。

「そうは思うけど、捜してもどこにいるのか分からないんだよ。どうしたらいいのか……」

「栄吉、荒れ寺の外で待っていれば会えると思うけど、どうかね」

「そうか、その手があった」

「すぐに八丁堀へ行こう」

だが若だんなは病み上がりだし、他出《たしゅつ》は兄《にい》や達に止められる。それで若だんなは栄吉と、こそこそと横の木戸から抜け出た。急いで南に向かおうとすると、栄吉に止められる。どうしたのかと横を向くと、力蔵に薬を届けてもらうのだと言って、栄吉は近所にある辻駕籠《つじかご》屋に入っていった。出てきたときは後ろに、四つ手駕籠を連れていた。

「寺はすぐ近くだ。駕籠なんかいらないよ」

一度は断ったものの、最近心配性なところが、長崎屋の兄や達に似てきた栄吉は譲らない。仕方なく駕籠をつかったが、楓川を越え荒れ寺に着いてみると、それは本当によい思いつきであったと分かった。

「あれま、万作さん、親分さん！」

転がっている二人の着物の縞《しま》が、荒れ寺近くの海鼠塀《なまこべい》脇《わき》で重なって、襤褸《ぼろ》切れが捨てられているように見える。どちらも既にたっぷりと殴られた後で、立ち上がることも出来ない有様であった。

大の男二人、若だんなと栄吉の二人では、とても通町まで運べない。困って駕籠かき達に頼むと、にたっと笑って頷《うなず》いた。さすがに担《かつ》ぐ玄人《くろうと》で、転がっている男二人を駕籠に放り込み、通町の長崎屋へと苦もなく連れてきてくれた。若だんなは感謝と共に、日頃使う機会に恵まれない財布から、たっぷりと酒手《さかて》をはずんだのだった。

「今日、荒れ寺に入る前に、親分さんと出会いました。ですが狐者異さんが持っている薬は一つきり。二人で一緒に動くわけにはいきません。先にきていた俺が、まず寺へ入ったんです。でも、お恥ずかしい、中にいた男らに袋叩きにあいまして」

「万作の悲鳴が聞こえたんで、助けなきゃあと、俺も急いで寺に踏み込んだんだが……どうにも相手の人数が多くてね」

万作と日限の親分の二人は、並んで寝かされた長崎屋の離れで、委細を白状していた。要するに薬欲しさに無謀な行いに出て、返り討ちにあったのだ。いきなり寺から出て行けと言われた流れ者達は、遠慮がなかった。二人は大怪我をしたのだ。

すぐに長崎屋の薬で手当したので、藪《やぶ》医者が見立てるよりも、余程のこと体には良かったはずだ。だが特に日限の親分は横になったまま、顔を引きつらせている。手当をした仁吉が、怖い顔で病人を睨《にら》んでいた。

「あたしは親分さんに、狐者異とは関わるなと言いませんでしたっけ？　人の言葉を聞かないから、こんな目に遭《あ》うんですよ」

傷口に勢いよく薬を塗りつけられた岡っ引きは、大いなる反省を込めてうめいた。万作も床の内で縮こまっている。力蔵も入れた三人の内では一番怪我が軽かったが、それでも体中、大きな痣《あざ》だらけで斑《まだら》になっていた。

「すみません、すみません。俺は腕っ節に自信がない。寺から荒くれを追い出すなんて、無理だとは思ったんですが……お嬢さんがどうしても秘薬が欲しいと、言い張ったんです。直ぐに何か手を打たないと、親方が他の男を婿《むこ》に決めてしまいそうだと言うんで……」

どうも万作よりも焦《あせ》っているのは、恋しい相手である親方の娘、おすみの方らしい。万作は見目が良く、ため息をついても眉根《まゆね》を寄せても、歌舞伎《かぶき》役者のようだ。植木職人の娘婿になるという話が無くなったら、声をかけてくる女は、他にもいるに違いない。そんな風だから、おすみには焦りがあるのだ。

そのとき襖《ふすま》が開いて声がする。

「親分さん、万作さん、二人とも、狐者異の薬の話を聞かなかったら、今頃どうしていたんですかい？　いえ、ちょいと気になってね」

見れば佐助が、湯気の立つ大きな土鍋《どなべ》を盆に乗せ、部屋に入ってきていた。達磨《だるま》柄の火鉢脇に置かれたそれは、病人のための粥《かゆ》らしい。椀《わん》と木匙《きさじ》、それに香《こう》の物が添えられている。

「若だんなの分もありますからね。これが昼餉《ひるげ》ですから、たんと食べて下さいな」

「私は床上げしたんだよ。もう粥じゃなくて大丈夫なのに」

「黙って出かけたりするから、鼻声ですよ」

佐助がちらりと若だんなの夜具を見たものだから、若だんなが慌てて粥を手に取った。今日は駕籠を使ったので、大して怒られずに済むと思ったのは、間違いだったようだ。そのとき、粥を食べようと身を起こした親分の、がらがら声がした。

「あの薬のことを聞かなかったら……俺は特別何も、しなかったろうと思うね。妹の愚痴が止まらないだけさ」

「それなら今後も、妹御の聞き役にまわるんですね。秘薬なぞ端《はな》から無かったと思えば、欲しいという気持ちも消えるでしょうよ」

仁吉の言葉に、岡っ引きは大げさにため息を漏らす。

「またあの愚痴を聞くのかぁ。気に病んでいるからだとは分かっちゃいるが、もうずーっと同じ話の繰り返しなんだ」

岡っ引きが情けなさそうに、粥を口にしている。隣で匙を握っていた万作が頷いた。

「俺も、親方に認められるには、ひたすら地道に仕事をしていくしかないと思ってます。でも……お嬢さんがね、どうにも収まらない気が……」

　こちらは万作が納得しても、それだけでは済まない話だから結論が出ない。二人は調子が悪いのか、軽く一杯粥を口にしただけで匙を置き、また寝てしまう。

　若だんなはいつもの通り、一杯を食べきることにすら苦闘している。大の男が三人で食べても、余るくらい作った粥が、大して減りもせずに土鍋の中に残ってしまいそうだ。それで皆一旦《いったん》、横になった病人達から離れて隣の部屋に移り、仁吉や佐助、栄吉も相伴《しょうばん》にあずかることとなった。

「若だんな、お粥なんですから、せめてもう一杯は食べて下さいよ」

　中庭から明るく日の差す居間で、ぽりぽりと針のように細く切った古漬けを噛《か》みながら、仁吉が釘《くぎ》を刺してくる。半擂《はんす》りの胡麻《ごま》をかけた沢庵《たくあん》の古漬けは若だんなの好物だ。若だんなは頷いてちゃんと食べているのだが、何故《なぜ》だか一向に椀の中が減っていかない。首を傾《かし》げている横で、残りの三人は、さらさらと粥をかき込んでいた。

「やれ、見たこともない薬に、何故に皆、群がるんだろうね。効かないくらいならまだしも、毒だったらどうする気なんだろう」

　ぱりぱりという音を添えて、仁吉がため息をつく。佐助が胡瓜《きゅうり》の漬け物を噛みながら、菓子屋の跡取り息子に厳しい視線を向けた。

「若だんなが薬を欲しがったのは、やはり栄吉さんのためですかね」

「ご心配なく。さっき一太郎に、きっぱりいらないと言いましたから」

仁吉が眉を上げた。

「栄吉は職人の腕と一緒に、己への自信も欲しいんだって。そいつは薬を飲んだんじゃ、身につけられないものね」

若だんなの言葉に、兄や達が揃《そろ》ってにっと笑った。佐助が栄吉の椀をひょいと取って、またたっぷりと盛りつける。差し出しながら言葉を添えた。

「はっきり言います。栄吉さんにとって、そいつは人の二、三倍は大変なことで」

二人の兄やは、若だんながまめに買うものだから、栄吉の菓子を食べつけている。頭を抱えるほどに腕のない栄吉が、己に自信をつけるには、どれほどの苦労が伴うか分かっているのだ。

「だが、そいつは一人前の男の考え方ですね。江戸っ子の男伊達《だて》ですよ。栄吉さん、いい男になってきましたね」

栄吉はさっと首筋まで赤くなると、受け取った椀から一心に粥をすすりだした。手代達は普段、若だんなに無理をさせると言って栄吉に文句を言ってばかり、友を褒めるところなぞ、見たことも聞いたこともない。なのに今日は違った。若だんなだとて、甘やかされてはいるものの、こういう言い方で認められたことはない。

色々人とは変わったところのある妖《あやかし》だが、兄や二人は日頃商売をしているだけあって、ずばりと真っ当な物言いをしてくるときもある。今日の言葉は心に響いた。

(栄吉、いいな……)

思った先から、若だんなは顔が熱くなるのを感じた。きっと栄吉のように赤くなっているのではないかと思う。椀でその顔を隠すように、必死に残りをかき込む。やっと最初の一杯が空になると、仁吉が素早く椀にお代わりをよそった。

(粥を食べるのに苦労してるんじゃ、確かに男伊達という言葉とは、縁ができないよねえ)

もそもそもそもそと粥を飲み込む。若だんなが粥と、なんだかざわついて胸苦しいような気持ちを持て余している間に、他の三人が土鍋の中を空にしていった。

4

日限の親分と万作は、一寝入りして頭痛や立ちくらみが収まったところで、夕刻、家に帰っていった。

もっとも殴られた痣というものは、暫《しばら》くしてからの方が色が濃くなるから、明日になったら二人の家の者が、その酷《ひど》さに驚くかもしれない。栄吉も力蔵を見舞いがてら帰ると言って、既に離れを辞している。とにかく栄吉と仲直りできて、若だんなは、心底ほっとしていた。離れの障子の際《きわ》から見上げると、空はあかね色と藍《あい》色に染め分けられている。じきに夕餉《ゆうげ》の時刻であった。

「なんだか一日中、ご飯時《はんどき》のような気がする日だよ」

若だんながぼやく横で、仁吉が行灯《あんどん》に火を入れた。若だんなは兄やの方へ顔を向ける。

「ねえ仁吉や。話を蒸し返すようだけど、教えてくれない？　何で狐者異《こわい》は、妄念《もうねん》と執着の塊なの？　分別が無いと言われているのは、どうしてだい？」

「あれはそういう妖なんですよ。あたしが白沢《はくたく》で、佐助が犬神《いぬがみ》なのと同じです」

若だんな、まだ薬が気になるんですかと、仁吉が眉を顰《ひそ》めた。若だんなが小さく首を振る。

「もう秘薬を欲しいとは思わないよ。ただ夕餉時だから、狐者異は一人で、どうしているかと思ってさ」

「狐者異もまた妖です。心配なさらずとも、一人でどうとでもしましょうよ」

そう言ってから、仁吉は少しばかり顔を優しげにした。

「若だんながそうして、周りの者を気遣うお人柄なのは、嬉《うれ》しいことですよ。大店の主人になるんだから、そうでなきゃいけません」

しかし、分別は持たないといけない。

「狐者異を気にかけるのは、無分別なことなの？」

「恐ろしい思いをしたときなど、怖い、と言ったりするでしょう？　それはあの狐者異から出た言葉だと聞いたことがあります」

「えっ……」

若だんなが目を見開く。『こわい』という言葉が、たった一人の妖から生まれたとは、思ってもみなかった。さっき見た、なんということもない若者が、いかほど恐ろしいことに関わったのだろうか。

「そう……狐者異は大層可哀相《かわいそう》な生まれということになりましょう。人の目から見たらなおさらに」

行灯の横で小さくため息をついているところをみると、仁吉とて、ただ嫌っているという訳ではなさそうであった。いささか言いにくそうに言葉を継ぐ。

「狐者異と関わると、不幸の三つや四つが降ってくるのは、覚悟せねばなりません。

そんな身を哀れに思ったからでしょう、それを承知で狐者異を受け止めようとした者も、今までにいたことはいたのです」

仁吉も佐助も、長い長い年月を生きてきている。見聞きした物事は、驚くほどに多いに違いなかった。

「ですが受け止めきれた者を、あたしはまだ知りません」

今のこの時まで、仏ですら救えなかったと言われている妖であった。

「あれを何とかしてやろうと思う心すらまた、思い上がりなのかもしれません」

「ねえ、仁吉。どうして……そんなにいつも、どうにもならないの？」

言われて仁吉がまた、ため息をつく。

「災難が狐者異と関わった者の、周りにも及ぶからですよ」

己だけのことでは済まなくなる。

「今回とて、あ奴《やつ》に関わった途端、三人も怪我人《けがにん》が出てしまった。それに岡っ引きを、ああも酷く殴ったからには、寺にいる流れ者たちも、このままでは済まないはずです。八丁堀のお膝元《ひざもと》でのことですからね」

今回、若だんな達四人は違ったが、もっと欲が突っ張った者同士だったら、互いに知っている間柄でも、酷い諍《いさか》いを起こしたかもしれない。狐者異と縁が出来ると、気持ちが荒れる。周りを巻き込み騒動が起きるのだ。

「殴られた日限《ひぎり》の親分にもしもの事があったら、病がちなおかみさんは、どうしていたでしょうね。そんなことになったら、金だけでは片が付かない。だから言うんです。関わるなと」

「あ……」

「ですから、人情が無いとか可哀相じゃないかと言われても、あたしは、狐者異とは関わりません。あたしの側には体の弱い若だんながいるんです。狐者異の連れてきた不幸が流行病を呼んだら、あっという間に若だんなの命が、取られてしまうかもしれない」

それだけではない。船が立て続けに沈んだり、商売がうまくいかなくなって長崎屋が潰《つぶ》れたりするかもしれない。そうなれば体が酷く弱い若だんなは、生きてゆくにも困る。

「若だんなも……狐者異のことで、人を不幸に巻き込んだりは出来ないでしょうが」

こうと言われれば、若だんなも頷《うなず》いて引き下がるしかない。支えてあげるとか、救いたいとか、人の身で簡単に言える相手ではないのだ。

しかし。

「狐者異のように生まれつく妖がいるなんて、切ない話だ……」

若だんなは、今は閉まっている土蔵脇《わき》の木戸にそっと目をやる。

「寺にいる流れ者を追い出せなんて、狐者異は、あそこに住み着きたかったのかな。望みを叶《かな》えてくれた者に、薬をやると言ってた」

「狐者異も、長く長く不幸と共にいすぎたのかもしれません。とにかく何とか救って欲しいと思うから、死にものぐるいで相手にすがりついてしまう。水練の出来ない者が川で舟から落ちると、助けに飛び込んだ船頭にしがみついて、二人とも泳げなくなり溺《おぼ》れることがあると言います。似ているのかもしれませんね」

「助けて、助けて、助けてと思いすぎて、溺れるのか……」

一寸《ちよつと》、若だんなは狐者異の薬を要らないと言い切った、栄吉のことを思いだしていた。

（あんな風に、欲しくてたまらないものを一回思い切ることが出来たら、狐者異は楽になりはしないかしら）

だが確証は無く、狐者異は妖ゆえに、その身の性が無くなるとも思えない。

結局思い迷うばかりの若だんなに、仁吉はとにかく狐者異に関わるなと、いつになく、くどいくらいに念を押してくる。不安なのだと、声にならない仁吉の言葉を聞いた気がした。

「いいですね、近づいちゃ駄目ですよ？」

若だんなは頷くしかなかった。そうしている内に、暮れかけた中、食事の支度が出来たと、店表から小僧が呼びに来た。


翌日夜五つを過ぎてから、薬種問屋長崎屋脇の戸を、激しく叩《たた》く者がいた。

「もうし、遅くに失礼をします。植木職の万作と申します」

聞き覚えのある声に、離れにいた仁吉が手燭《てしょく》をかかげて、土蔵の方へ向かった。その後を風呂《ふろ》から出たばかりの若だんなが続く。佐助が慌《あわ》てて羽織を手に後を追った。

鳴家《やなり》達がきゃわきゃわと声をあげ、くっついてゆく。仁吉が潜《くぐ》り戸を開けると、明かりの先に現れた万作の顔は、硬く強《こわ》ばっていた。

「こちらにお嬢さんが……おすみさんがお邪魔してないでしょうか」

夕餉の後、姿が見えない。心当たりがないかと、捜しに来たのだという。この問いに、仁吉が首を振った。

「おすみさんは長崎屋に来たことはないし、誰も顔すら知らないはずですが」

若だんなが佐助にとっつかまり、羽織を無理矢理着せられてもがいている間に、羽織の袖《そで》の中に鳴家達が入り込む。その隣で万作が、言いにくそうに口を開いた。

「昨日痣《あざ》だらけで帰ったものだから、お嬢さんは俺が薬を手に入れ損《そこ》ねたと、分かったみたいで。昨日は下を向いて黙ってました」

その様子が変わったのは、今日の暮れ六つどきのことだ。岡っ引きが親切心から、長崎屋からたっぷりもらった湿布薬を、万作に分けに行ったのだ。しかしそのとき、まずい一言を漏らしてしまった。

「まだ誰も、一流の職人になれる天狗《てんぐ》の薬を手に入れていないと、喋《しゃべ》っちまったんで」

その話のあと、暫くしておすみの姿が見えなくなった。万作は少しでも行きそうな場所を、残らず捜しているのだ。

「こんな遅くにどこへ……」

佐助が腕組みをした。あと一時もすれば夜四つとなり、木戸が閉まる。人通りも途絶えてくる刻限であった。そのとき袖の中の鳴家を撫でていた若だんなが、眉間《みけん》に皺《しわ》を寄せ、仁吉の袖を引っ張った。

「ねえ、私はどうも、嫌な心持ちがするんだけど」

「若だんな、なんぞ思いついたんですか？」

「おすみさんだけど、もしかしたらあの荒れ寺へ行ったんじゃないかしらね。流れ者達は、岡っ引きを殴ってしまった。場所は八丁堀だし、利口な者達なら、とっくに別ん所に逃げているだろう。それを期待して、確かめに行ったのかもしれない」

「まさかっ」

「それとも、お嬢さん自身の手で、奴らを何とかしようと思ったのかな。流れ者を追い出せたら、狐者異から薬がもらえるからね」

「無茶ですよ」

聞いていた三人から、一斉《いっせい》に声が上がった。男二人が、あっさり伸《の》された相手であった。流れ者達に、おすみがかなうはずはない。いや寺になぞ行ったら、娘一人、何をされるか分からない。万作は呆然《ぼうぜん》としている。

「そりゃ、真正面からやりあっても、男達を追い出すなんて無理に決まっているけど。ただ、おすみさんは狐者異が何で寺にこだわるかを、知らないんじゃないかい？　だから私は怖いんだよ。だって……」

若だんなは一つ息をついて、話を途切れさせた。その先を言うのが躊躇《ためら》われた。三人が若だんなを見つめている。

「だって結果を考えないで、とにかく奴らを寺から追い出すだけなら、やりようはあるんだもの。寺が無くなればいいのさ」

「無くなる？　どうやって？」

一寸呆《ほう》けた万作を尻目《しりめ》に、二人の兄《にい》やは表情を硬くする。直《す》ぐに飲み込めた様子だった。

「寺に……火をつけて燃やせばいいんですね」

目を見開き足を踏ん張って、万作が若だんなの方を見ている。総身《そうみ》が震えだしていた。そんな、と、つぶやいている。

「今朝、俺が痣だらけの顔で仕事に出たのを見て、親方がお嬢さんに言ったんです。俺じゃあやっぱり、婿《むこ》には不足だ。早々に婿取りの話を進めようって」

昼の間に、おすみと親方の間で、どんな話が交わされたのだろう。とにかくおすみは、万作の地道な努力など待てなくなったのだ。

「早くお嬢さんを捜さなくては。あんな……八丁堀のど真ん中で付《つ》け火《び》なぞしたら、あっという間に捕まって……」

火事に悩まされている江戸では、火付けは重罪であった。小さな火事をおこしても、見つかれば火罪、火あぶりと決まっている。

「これも……私たちがあいつに関わってしまったから、起こったことか」

若だんながさっと兄や達の方を向く。深いため息が返ってきた。

「荒れ寺へ行きたいんですか？　止めても……無駄なんですね。まいったな」

どうもこのごろ無茶が過ぎると、ぶつぶつ言っている。それでも最後には分かりましたとの言葉が口に出る。

「いいですか、荒れ寺に荒くれ達がいても、絶対に関わっちゃあいけませんよ。おすみさんを連れ戻すためだけに行くんですからね。分かってますね？」

「承知しているよ」

「それならば、もう止めません。だが、若だんなを歩かせる訳にはいきませんね。遅くなったら木戸が閉まってしまう」

言うなり、佐助が若だんなを、小脇にひょいと抱え上げた。

「万作さん、付いてきてくださいよ」

「えっ、ちょっと、こりゃあ……」

若だんなが情けない声を出した時には、既に仁吉と共に、横手の戸から外へ走り出していた。月明かりがあるばかりで、提灯《ちょうちん》も持っていなかったが、妖である二人には、そんな物はいらない。二人の走る後を、必死の顔つきで万作が追いかけていた。

5

八丁堀の組屋敷は、長崎屋から東に向かい、楓川《かえでがわ》を渡った先に並んでいる。道沿いに生け垣、板塀が続き、月明かりの下静《もと》まりかえっていた。家から漏れ出ている夜なべの明かりも見あたらない。町屋《まちや》が続くところでは余程遅くなっても、茶飯《ちゃめし》売りなどがいるものだが、武家地《ぶけち》は深い夜の静寂に包まれていた。

荒れ寺は武家地の一角にあった。正面に小さな堂宇《どうう》が一つあるきりだが、敷地は割と広い。だが、若だんなは思わずつぶやいていた。

「これは凄《すご》い荒れようだよ」

ずっと手入れをされていない様子で、境内《けいだい》の一面に雑草が生えている。先日万作が男達の姿を見たのは、正面の堂宇だ。寝ているのかもう逃亡したのか、今は人の姿が見えない。堂宇の前まで来たあと、万作は仁吉と、若だんなは佐助と、左右に分かれて奥へと進んだ。

「お嬢さん、いますか、おすみお嬢さん？」

万作の声が闇《やみ》を通して聞こえる。だが直ぐに、その声が悲鳴に変わった。

「お嬢さんっ」

若だんな達は、急いで声のした裏手に走った。堂宇の後ろ側、板壁の下あたりから、小さな火の手が上がっている。その近くに随分多くの人影が立っていた。

「流れ者達だ。まだいたのか」

若だんな達は堂宇の陰に隠れつつ、近づいていく。笑いを含んだ男の銅鑼声《どらごえ》が聞こえてきた。

「これは驚いたり。女じゃないか。女が付け火をしたぞ」

どうやらおすみは流れ者たちに捕まったらしい。そこに万作の声が重なる。

「俺はお嬢さんを迎えにきたんだ。帰してくれないか。火はすぐに消すから」

「おいおい、こりゃあ、昨日殴り込んできた、兄ちゃんじゃないか。やるねえ、こんどは女連れで夜討《ようう》ちかい？」

万作達を取り囲む男らが、また笑い出す。仁吉が付いているから、二人の心配は無用だと思っていたら、とうの仁吉は一人、若だんな達の側に現れた。おすみが捕らえられているのを見た万作が、止めたにも拘《かか》わらず、流れ者達の中に飛び込んでいったのだという。

「やれやれですよ。あの人達、助けなきゃいけませんかね？」

「あの二人のことも心配だけど、それより、火！　どうするんだい、燃えているよ」

火勢はじわじわと大きくなって、寺の壁に移りかけている。男達はおすみのことで、頭が一杯らしかった。

「おい兄ちゃん、この女だけ置いて消えろや。そうしたら今日は、殴られずに帰れるぞ」

「ばっ、ばかなっ」

「声が震えているぜ」

どう言われても万作は、おすみを守っていた。男が手を伸ばして、おすみの着物の袖を摑《つか》んだ。それを万作が必死に振り払う。

「お嬢さんに触らないで下さいっ」

「おや、弱いお前さんが女を庇《かば》って、どうなるっていうんだい？」

「刃向《はむ》かう気だぜ。やろうってのかい！」

男達がいきり立つ。取り囲んでいる輪が狭まった。その背を、大きくなってきた炎が赤く照らしている。しかし誰もそれを見ていない。若だんなは堂宇の脇に立ちながら、大きくため息をついた。

「こりゃ私が消さないと、本当にこの火は燃え広がるかもしれないね」

流れ者達も万作もおすみも、ここが八丁堀組屋敷の直ぐ側だということが、頭にない様子だ。万作はおすみを守ることに夢中、おすみは泣いているし、流れ者達は女が欲しい。ただ、それだけなのだ。

「これも狐者異の薬を欲しがった報《むく》いかね。いや、心の内にある嫌な面を、己で見るはめになる。だから皆、狐者異が嫌いなのかな」

「若だんな、火の手が大きくなって来ましたよ。これを消すのは大変です。三人で逃げだすとしませんか？」

ぺろりとこう言ったのは仁吉だ。元々来たかった訳ではないし、若だんなの身が一番大事なのだ。それに万作達を含め騒ぎ立てている者達に、うんざりしているらしい。

しかし若だんなは、小さく首を振った。

「こんな場所が火事となったら、長崎屋の方まで類焼《るいしょう》しかねないよ。それに火付けが知れたらどうするのさ。私は知り人が、火あぶりになるのはごめんだよ」

「しかしねえ、鳶口《とびぐち》もないし、水をどこから調達したらいいか分からない。どうやって消したらいいんです？」

その時兄や達に、若だんながある提案をした。にやっとした笑いが、返事代わりに返ってくる。仁吉が若だんなをさっと抱え上げ、堂宇から引き離した。暗い上、三人のことなど誰も見ていないのは都合《つごう》がいい。

「二人とも、やっておくれ」

声と共に佐助が拳《こぶし》を振り上げ、それを思い切り地面に叩きつける。仁吉も手を振った。

どんと腹の底に響く音がして、白い光が四方へ走った。途端、大きく地面が揺れ、ほとんどの者が地べたに投げ出される。暗い中であったから、争っていた者達は誰も、何が起こったか分からなかったに違いない。そこに大嵐《おおあらし》のような風が駆け抜ける。堂宇が悲鳴を上げるように軋《きし》んだ。

「地震か？　竜巻か？」

誰のものなのか、引きつった銅鑼声の問いに、木が折れる音が重なる。荒れ果て、足元を焼かれた堂宇が、揺れと風に引き裂かれ倒れようとしていた。屋根だけ先に大きく傾くと、地べたに屋根瓦が降り注ぐ。転んでいた者の頭の上にも瓦が落ちて、悲鳴が上がり、皆逃げまどう。土埃《つちぼこり》が上がる。程なく闇の中で音を響かせながら、寺は潰《つぶ》れ倒れた。

「ああ、うまいことに火は、ほとんど消えたようですね。残りの始末は造作《ぞうさ》もない」

佐助が残骸《ざんがい》の残り火を踏み消した。平気な顔をして立っている若だんな達三人を、先程まで剣呑《けんのん》な話をしていた者達が、息を呑《の》んで見つめている。若だんなが皆に、わざとらしくも明るく声をかけた。

「あれ、お前さんたち、まだ地べたに座っているのかい？　ずいぶんと暢気《のんき》だね。地震で寺が倒れたんだもの、きっとすぐに、近所の人達が様子を見に来るよ。ここは八丁堀だから、きっと同心の旦那《だんな》方もおいでだよ」

そう言われて流れ者達はやっと、己らの立場を思い浮かべたようだった。昨日岡っ引きを殴ったことをも、思い出したのかもしれない。顔を見合わせると急いで立ち上がり、もうおすみのことは忘れたかのように、夜の中に消えてゆく。庭に座り込んだまま、未《いま》だに呆然としているのは、おすみと万作だった。仁吉が両人を急《せ》かせる。

「さあ二人とも、帰りますよ。寺が潰れたのは地震のせいとしても、焼けこげた匂《にお》いがまだ、辺りに漂っている。なぜ寺に焼けた痕《あと》があるのかなんて勘ぐられちゃあ、おすみさんが困るでしょうからね」

そう言われて、おすみが息を呑んだ。己が何をしたのか、少しは考えられるようになったらしい。暗いせいか、この荒れ寺が倒壊したと気づき、見に来た者はまだいない。それを幸いに、五人は早々にその場を離れた。

6

この夜のことを、植木職人の親にどう話したのか、とにかく後日おすみの父が、長崎屋に菓子折を持って挨拶《あいさつ》に来た。畳に頭をすりつけるようにして礼を言って帰った。その後、おすみが余所《よそ》から婿を取ったという話は聞かないが、さりとて万作と祝言《しゅうげん》するという噂《うわさ》も無い。とにかくおすみと万作にとっては、もう秘薬どころの話ではないことだけは確かだった。

岡っ引きも力蔵も、殴られたのに懲《こ》りたのか、ただせっせと働いている。潰れた寺は、直ぐに更地となり、荒れ寺にこだわっていた狐者異の姿も見かけない。天狗《てんぐ》の薬も、本当にあったのか無かったのか、とにかく話は消えた。狐者異の一件は終わったのだ。

長崎屋の離れでは綿入《わたい》れを着込んで、温石《おんじゃく》代わりに鳴家を何匹か懐《ふところ》に抱きながらも、あのあと若だんなは何とか寝込まずにいた。兄や達も、若だんなの看病がない日はせっせと働いているから、離れにはいない。若だんなは久しぶりに、屏風《びょうぶ》のぞきと碁《ご》を打っていた。

「狐者異は、どうしているかねえ」

嫌われているとの話であった。珍《めず》らかな薬と引き替えにしても、荒れ寺に居たかったとすれば、今、居場所も連れも無いだろう。そう言いながらぱちり、と、碁盤に石を打った。向かいから屏風のぞきが、ちらりと若だんなの顔を見る。

「なんだい、まだあいつのことを気にしているのかい。仁吉達が聞いたら心配するよ。なんたって、狐者異は狐者異だからね」

ぱちんと打たれた次の手を見て、若だんなが渋い顔を作る。なかなか苦戦であった。

「おや屏風のぞきまで、狐者異をそんな風に言うとは思わなかったよ。お前さん、長崎屋に顔を出す他の妖《あやかし》とふざけあったりはするけどさ、余所《よそ》にいる妖のことを、色々言ったりしないだろう?」

ぱちり。若だんなが打ったのは、大した手ではなかった。今日の曇天《どんてん》の空を映したかのように、ぱっとしない戦況だ。

「あたしは仁吉とは違って、口うるさくは無いんだよ。でもね、狐者異に関しては……あいつに関わって、受け止めきれた者の話を、あたしはまだ聞いたことがない」

屏風のぞきがちらりと若だんなの方を見た。やはり狐者異が関わってきたと聞いたとき、屏風のぞきが真っ先に心配するのもまた、若だんなのようだ。不運に見込まれたら、一番に危なっかしいからだろう。

「若だんな、無茶をしないでおくれよ」

珍しくも屏風のぞきが優しげに言う。

「狐者異との関わりは、己も周りにいる者も、全《すべ》て呑み込み流してしまう。心配を周囲にばらまくことになる。命まで落としかねない」

屏風のぞきが次の手を打った。今日はひどく冴《さ》えているようだ。だが顔つきが厳しい。狐者異の話をするとき、妖達はよくこういう顔をした。

その時若だんなが、不意に顔を碁盤から上げて板塀の方を見た。少しだけ首を傾《かし》げたあとで、小皿にお八つの大福を幾つか乗せ、立ち上がる。縁から降りるときにひょいと、転がっていた赤いギヤマンの文鎮を拾った。そのまま板塀脇《わき》まで歩んでいく。

そっと塀の下の隙間《すきま》に小皿を置くと、屈《かが》んで向こう側を見る。案の定、外に誰かが来ているようで、短めの着物から出た足が見えた。

「狐者異かい？」

思い切って声をかけた。何故《なぜ》だか、そんな気がしたからだ。返事は返ってこない。だが、立ち去りもしなかった。薄青い着物の裾《すそ》が見える。こんな空模様の日に、休むところもない板塀の脇に立ちつくしているのだ。狐者異に違いなかった。

（声は掛けたけど……これからどうしていいのやら……）

狐者異を長崎屋に入れたら、日限の親分や万作達のように、己以外の者にも災難が及ぶかもしれない。きっとそういうことになると、仁吉が言う。屛風のぞきが言う。確かに災難が湧《わ》き起こったのを、この目で見ており、その災いを全て防ぎきるなど、若だんなには到底無理な話だった。

それでも、狐者異に話しかけずにはおれなかった。

「大福を塀の下に置いたから、おあがりよ。それと」

赤いギヤマンの文鎮を皿の隣に置く。

「気に入っていただろう？　あげるから持っておいき」

ギヤマンがきらりと光った。塀の隙間から手が見えた。すぐにギヤマンが無くなる。少しして大福も消えた。雲のたれ込める空を見ていて、若だんなはだんだんと胸の辺りが苦しくなってきた。暫《しばら》くは黙っていた。黙っていたが……やはりまた、声をかけてしまう。

「今日、行くところはあるのかい？」

大福を食べているのだろうか、もそもそとした声がした。「ううん」と言った気がした。

若だんなはもう一度空を見上げて唇を噛《か》む。勝手をしたら兄や達が怒る。いや、今度ばかりは、いつものように怒られるくらいでは、済まない。狐者異のことに関しては、仁吉も佐助も引かない気がする。

それでも！……じきに雨が降りそうであった。冷え込んできている。冷たい雨になるに違いない。狐者異が次の言葉を待って、じっと耳を澄ましている気がした。

若だんなは怪我《けが》をした日限の親分達のことを思った。ここで狐者異に声をかけるということは、己も同じ目に遭うかもしれないということだ。仁吉や佐助や妖達、両親や乳母や……沢山の人に心配をかけるだろう。勝手は許されないことのような気がした。

しかし。

板塀の下の隙間から見える足が、余りにも寒々しかった。

己が一人、塀の外に立っているとしたら、一体どんな気持ちでいるだろうか。今、狐者異は一人ぼっちで、明日も一人だろうし、明後日も、その後も、ずっとただ一人きりで……。

若だんなは涙がゆっくりと、頰をつたうのを感じた。

（私はどうして泣いているんだろう……）

寂しいのも一人きりなのも己ではない。狐者異に同情したと言うには、余りに情けない対応しかしていない。もう一度兄や達の顔を思い浮かべ、ぐっと手を握りしめた。気持ちを決める。若だんなは静かに狐者異に声をかけた。また涙が流れておちる。

「狐者異、横手の木戸にお回り。入れてあげるから、しばらく長崎屋で過ごしたらいい」

背中に強い視線を感じた。きっと屏風のぞきだ。だが……何も言っては来なかった。

「おいら、入っていいのかい？　追い出されないのかい？　本当だね？　いいんだね？　間違いないだろうね！」

何度も確かめてきた。声が弾《はず》んでいる。若だんなが言葉を続けた。

「うん、ここにいていいんだよ。約束する」

狐者異が本心欲しいもの、金よりも天狗の秘薬よりも、欲しくてたまらないもの。それは、ゆっくりくつろげて、安心して、いつまでも居て大丈夫な所。迎え入れてくれる場所ではないかと、若だんなはそう思った。だから……声をかけた。

「この離れには、先にお前さんがここで会った妖達がいる。もしかしたら皆、最初は狐者異にいい顔はしないかもしれないけど、でも私が取りなすから」

きっと大丈夫だと請《う》け合った。

「だから、少し耳に痛いことを言われても、驚かないでおくれ。皆と仲良くなれたらいい……」

「なんだよ！　何を我慢しろって？　おいらを、どうしようっていうのさ。酷《ひど》いよ、いっつも同じだ。なんでおいらばっかり、思うようにならないのさ」

急に塀の向こうから、狐者異のきつい口調が聞こえてきた。若だんなは驚いていた。

「ちょいと、いきなり怒り出さないでも……」

「寸の間でも期待したのに。また今回も、駄目だった。どうして、どうして、どうして！」

塀をがつんと叩《たた》く音がする。

「なんだい、優しいような口をきくと思ったのに、お前も嫌な奴《やつ》なのか！」

狐者異の声が震えている。その言葉が、若だんなの申し出を断ち切る。噛みつくような険しさと怯《おび》えがまぜこぜになって、若だんなに伝わってきた。怒っている。怖がっている。どうして分かってくれないのかと、言葉が噛みついてくる。しゃくり上げるのが聞こえて、涙を流している顔が見えるようだった。狐者異の声がだんだん大きくなる。まるで吼《ほ》えているかのように、わめいていた。

「お聞きよ、狐者異。中においでと言っているんだよ。でも色々あったんだから、直《す》ぐには皆に受け入れられないかもしれない。だけどそのうちに……」

「なんで皆、おいらに優しくしてくれないんだ！　我慢なんて嫌なこった。酷いよ。離れにいる妖達なんて、嫌いだよっ」

言うなり、塀の外で駆け出す気配がした。それは木戸の方には曲がらずに、遠ざかっていく。若だんなは立ちつくしてしまった。

乱れた足音はすぐに小さくなって、程なく聞こえなくなった。

「もうすぐ雨になるのに……」

だが既に、狐者異は近くにいない。若だんなの声は届かない。庭の隅で立ちつくす若だんなを呼び戻しはせず、屏風のぞきがじっと離れで待っていた。

畳
たとうがみ
紙

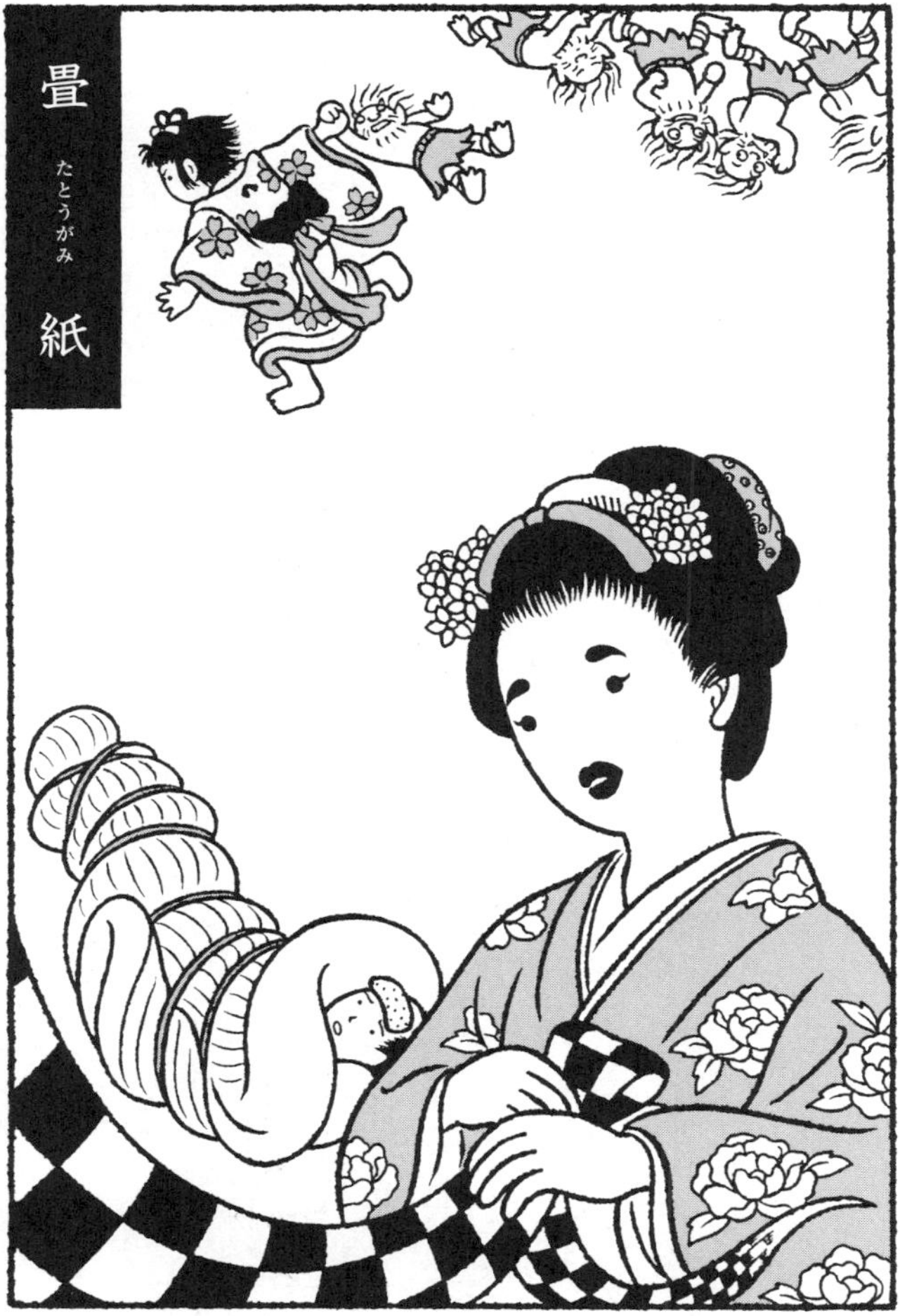

1

小さな女の子が、廻船《かいせん》問屋兼薬種《やくしゅ》問屋、長崎屋の離れの中を駆け回っていた。襖《ふすま》の向こうにその姿が隠れると、何だか奇妙な笑い声のようなものが聞こえた。

「きゅわきゅわーっ」

「於《お》りんちゃん、若だんなはお加減が悪くて、臥《ふ》せっておいでなのよ。お部屋の中では静かにしましょうね」

居間の達磨《だるま》柄の火鉢の脇《わき》から声をかけたのは、紅白粉《べにおしろい》問屋、一色屋の孫娘お雛《ひな》であった。

少し前に起こった於りんの迷子事件で、於りんとお雛、それに於りんの叔父で、お雛の許婚《いいなずけ》正三郎は、若だんなと親しくなっていた。今日お雛は、またも寝込んだ若だんなを見舞うため、於りんを連れ離れに顔を出したのだ。

若だんなの今回の病は大分悪いらしい。驚いたことに勝手に起き出さないよう、夜《よ》着《ぎ》の上から細引きでぐるぐると縛られていた。

「あれまあ……若だんな、気合いの入った病人ぶりですねえ」

そう言って微笑したお雛は、今日もいつものように、お江戸に二人といない程、こってりと分厚く化粧をしている。以前長崎屋の奉公人の誰かが店の隅でお雛のことを、塗り壁妖怪の孫と言ったほどだ。

しかしどんな突飛なものでも、何度も見ていれば慣れるらしい。お雛の化粧はこのごろ、長崎屋ですっかり馴染《なじ》みとなり、今では下の顔が分からぬほど重ねられた白粉の厚塗りを見ても、誰一人、目を見張る者とていない。それゆえお雛にとって長崎屋は、大層気楽な場所になっていた。平素から時々於りんを連れ、長崎屋のおかみ、おたえの居間を訪れている。於りんが行きたがるので、若だんなのいる離れにもたまに顔を出していた。

「於りんちゃん、あれま、まだ走ってる。どうしたんだか、いつもは素直な子なのに」

お雛は、若だんなに付き添っている仁吉《にきち》から茶を受け取りながら、真っ白い顔を精一杯、困ったようにしかめた。長崎屋の離れに来ると、於りんはよく騒ぐ。今日は若だんなの具合が悪いので、いつものようには放っておけず、お雛は立ち上がった。

「だってね、あたしね、小鬼と捕まえっこしているのよ」

於りんはまだ幼いゆえ、そんな可愛《かわい》いことを言う。多分蝶々か、離れに入り込んだ仔猫《こねこ》でも、追いかけているのだろう。

「於りんちゃん、こっちで座っていましょうね……あら、いない」

襖を開けて、お雛は少しばかり目を見開いた。誰もいなかったのだ。この離れでは、走り回る足音を追いかけて捕まえようとすると、何故《なぜ》だか於りんの姿がなかったりする。おまけにそんな時於りんは、時々「ぎゃわぎゃわ」などという奇妙な声をあげている。襖の向こうで誰ぞに向かって、話しているような時すらある。お雛は顔に、ちょっと心配げな表情を浮かべたまま、若だんなの横にまた座った。

その様子を若だんなが夜着の内から見ていて、苦笑いをしている。それからお雛の方へ顔を向けると、声をかけてきた。

「おびなひゃん……ひょりんはーのかと、ぎにひひゃひへひゅらひゃい。ごひゃ、けひょっ……はれひゃもふらいひょーふ……でひゅきゃら」

「……若だんな、あのぉ……」

お雛は困ったように首を傾《かし》げた。若だんなは今、病で喉《のど》をやられていて、声は干からび咳《せき》が混じっている。天竺《てんじく》の言葉でも聞いているかのようで、とてものこと何を話しているのやら分からないのだ。

布団《ふとん》の脇に座っている仁吉が軽く笑ってから、心得た顔でお雛に分かるよう言い直してくれた。

「お雛さん、於りんちゃんのことは気にしないで下さい。私の病はもう、かなり良いのですから、と申しております」

仁吉は説明しながら、若だんなの額に絞った手ぬぐいを乗せた。病がもう大丈夫だとは、小指の先程も思っていないようすだ。兄《にい》やであるこの手代は若だんなに限りなく甘いので、度の外れた心配性にもなる。仁吉はお雛に、今朝方《けさ》のことを話してくれた。

「実は朝、目覚めた時、若だんなの高熱は一旦《いったん》下がっていたんですよ。ええ、ありがたいことでした」

ところが仁吉が止めたにもかかわらず、若だんなはすぐ寝床から起き出したのだ。これ以上寝ていたら、布団とくっついてしまうと言ったらしい。

するとあっという間に、息が出来ぬほどの酷《ひど》い咳が出始めた。じきに顔色も蒼《あお》くなる。仁吉は若だんなを、問答無用でまた寝床に放り込んだ。そして今度こそ簡単に抜け出られぬよう、荷をくるる細引きで、布団ごと若だんなを何カ所も縛り上げてしまったのだ。

「ひどいれしょう？」

お雛を見上げ、若だんなが情け無さそうに言う。仁吉はすましたものだった。

「ちゃんと病を治したら、いくらでも文句を聞きますよ。そんな声であれこれ言っても、駄目です」

若だんなに勝ち目は無いようで、布団の中に頭をすっこめ、情けのない顔をしている。一寸《ちょっと》黙り込んだ後で、若だんなはまた喋《しゃべ》り始めた。

「どころへおひはさあ、こうとうろずふいびょーずかへんらすか。とぼかひたんへしか？」

「ところでお雛さん、このところ少し様子が変ですが。どうかしたんですか？」

「い、いいえ……いえ、何も」

いきなり言われて驚いた。若だんながお雛の様子が妙なことに気がついたとは、思いがけないことであった。

（気にしていてくれてたんだ。嬉《うれ》しい話よね）

しかし病人に心配させては、まずいではないか。お雛はすぐに、手を振って笑う。だが少々慌《あわ》てて返答をしたせいか、若だんなは訝《いぶか》しむような顔つきで、お雛をじっと見てきた。

「れほ……らんらぎゃきひなふことは、あるひょーら。はらふぼなら、ひぎはずほ」

「でも……なんだか気にしていることがあるような。話なら聞きますよ」

「若だんなはいつも、優しいですねえ」

お雛の声が寸《すん》の間、真面目《まじめ》な響きを帯びた。だがそれはすぐに風のように消えて、いつもの明るい話しっぷりに戻る。

「でもご心配なく。それよりこれ以上喋ると、本当に体に障《さわ》りますよ」

若だんなも、今は黙っているのが一番だと承知しているようだ。しかし。

「れもねへ。ひゃばいらかかはなざなあよふしへひゃら、ひっしょーのふち、しゃへれふひひゃしきゅなしょーれ……」

「でもねえ。病だからと口をつぐんでいたら、一生の内、喋れる日はいくらも無さそうだと、若だんなは申しておりますが……ほら若だんな、咳が出てますよ」

当人がいくら話したいと言っていても、若だんなの声は嗄《か》れてゆくばかり、咳は益々苦しげだ。お雛はそろそろ帰りますからと、於りんを呼んだ。そのとき。

「ぎゅわんっ」

離れの内に、とんでもない声がした。

「えっ、何の声かしらね」

お雛がおろおろと部屋の内を見回す。そこにばたばたという微《かす》かな足音がした。途端、部屋の隅にあった屏風《びょうぶ》が、いきなり前に倒れる。お雛がびっくりして腰を上げたとき、廊下から部屋に駆け込んできた於りんが、その屏風に躓《つまず》いた。若だんな入りの布団の方に、ぽんと跳ね飛んだ。

「あっ……！」

お雛と仁吉が驚いている間に、於りんはまともに、若だんなの胸の上に落ちてしまった。若だんなは布団と一緒に紐《ひも》で縛り上げられていたから、逃げることが出来なかったのだ。その上、何故だか於りんが印籠《いんろう》を手にしていて、それで若だんなの顔を、したたかにひっぱたいてしまう。

「ぐえっ……」

その短い一言を残し、若だんなは今度こそ本当に、声も出せなくなってしまった。見る間に顔から赤味が消えていく。

「ひえっ、若だんなっ」

仁吉の声が裏返った。引きつった顔で、すぐに部屋内の銅鑼《どら》を鳴らす。母屋《おもや》から走ってきた小僧が、医者の源信《げんしん》を呼びに飛び出していった。見舞いに来て、病人の具合を悪くしては話にならない。お雛は平謝りに頭を下げると、於りんを抱き抱えるようにして、急いで長崎屋の離れを後にしたのだった。

2

その後於りんは駕籠《かご》で、親の待つ深川の材木問屋、中屋へ戻って行った。紅白粉問屋一色屋ではいつものように、お雛と祖父母が奉公人と離れて、店の奥で夕餉《ゆうげ》を取った。

それから寝る前の身支度を済ませれば、後はお雛が一息つける、短いひとときとなる。既に寝間には布団が敷かれていた。乱れ箱はきちんと置かれて、その横には、水差しと湯飲みを置いた盆も用意してある。外はすっかり暮れているから、明るいのは行灯《あんどん》の側《そば》だけであった。

「今日は、何だって屛風が急に倒れたんだろう。若だんな、大丈夫だったかしら」

お雛は行灯の横に置かれた文机《ふづくえ》に肘《ひじ》をつき、手にした印籠に目を落としていた。

「それにしても、まいったわねえ。これ、誰の持ち物だか……」

慌てて長崎屋から帰った後、於りんが手に印籠を持っているのを見つけたのだ。長崎屋の離れから、持ち出してしまった物に違いない。

印籠には、黒漆《うるし》の上に白い波と石畳《いしだたみ》文様が描かれていた。粋《いき》な感じのする品だ。だがこれは、若だんなのものではない。お雛は以前、若だんなの印籠を見たことがあるが、こんな簡素な品ではなかった。

それは花の散る中を歩む獅子《しし》の図柄で、金蒔絵《まきえ》や螺鈿《らでん》で飾り立てられた、気合いの入った一品であった。病弱な若だんなの薬入れとして、父の長崎屋藤兵衛《とうべえ》が己の物をくれたらしい。だから豪華には違いなかったが、何となく年配好みの品であった。だが父から貰《もら》ったものだからと、若だんなはその印籠を、それは大事に懐《ふところ》にしまっていた。いまでもあの印籠を使っているはずだ。

「つまりこっちの印籠は……もしかしたら、仁吉さんのものかな。明日にでも返しに行かなくちゃねえ」

また翌日も通町《とおりちょう》へゆく。他出する。そう考えたとき……お雛は少しばかり気ぶっせいに感じた。このところどうも人に会うのが、億劫《おっくう》になってきている。

「嫌ねえ。こんなだから、様子が変だって若だんなに言われるんだわ」

そう口にしてから小さくため息をつく。お雛は寝る前に化粧の水『花の露』を付けてから、顔にそっと手をやった。

若だんなが心配する声を聞いたとき、心の奥底にすっと明かりを当てられた気持ちがしたのだ。思わず、そうか、己は悩んでいたのだと、あのとき思い当たった。お雛はここ最近、ずっと一つのことを思い続けていたのだ。

(その話を、してみるべきだったのかしら)

そうしたら今頃、楽になっていたのだろうか。

しかし言ったところで、なにがどうなるわけではないと思う。それは分かっている。分かっているのだ。お雛は眉間《みけん》に皺《しわ》を作り、直《す》ぐに情けない様子に眉《まゆ》を下げ、また頬《ほお》に両の手を当てた。

「はあぁ……」

ため息がこぼれる。腕を前に伸ばして文机に突っ伏した。

(この気鬱《きうつ》を、若だんなは見抜いたのね)

だから今日、心配げな顔をして聞いてくれた気がする。あの後、話を続けていたら、若だんなはこう問うただろうか。

「その悩みには……中屋の正三郎さんが関《かか》わっておいでですか?」

こんな風に聞かれたら、お雛は首を縦に振るしかなかったろう。あのとき若だんなに、とことん突き詰めて欲しかったのだろうか。その問いから逃れられないように。

そうかもしれない。印籠を握りしめ……お雛はそうだと思った。

思いを持て余している間に、夜も更《ふ》けてしまった。お雛はそろそろ寝ようと、行灯の明かりを吹き消す。すると部屋の内はさっと、襖《ふすま》の模様も見えないほどの闇《やみ》となった。

お雛は実は、こんな暗さが好きだった。ここまで闇一色となれば、気にかかるような諸々《もろもろ》のことも、何も見えなくなるからだ。闇には、ほっとできるような優しさがある。

するりと布団に潜り込むと、布団の柔らかさに気持ちが休まった。いつもならば、すぐにまぶたが重くなり夢に包まれるところだ。

ところが。

今日は何故だか、一向に眠くなってこない。

(明日長崎屋に、印籠を返しに出かけることが、気になっているのかしら。行くのが

嫌なら、小僧に持たせたらいいだけの話なのに)

寝返りなど打っていたが、眠れない。お雛は暗い中で暇を持てあまし、しばらくしてから寝そべったまま、枕元《まくらもと》に置いた印籠に手を伸ばした。

漆のつるりとした触り心地が、気持ちがよい。こうして目の前で見ると、白波が大層細かく描かれているのが分かる。綺麗《きれい》だなと、改めて思う。

そのときお雛は、一寸、闇の中で目を見張った。

（嫌だ、何で……印籠が見えるのかしら。部屋は真っ暗なはずだわ。だって行灯の火は落としたんだし……)

もう一度恐る恐る、手元に目をやる。

やはり印籠は見えていた。己の手も闇の中で、くっきりと白く浮かび上がっている。

何かが奇妙だった。慌てて辺りに目を配る。

すると布団の横の闇が、一際《ひときわ》暗く凝り固まっているように思えた。その闇の側に、青白く明るいものがあった。微かに動いている。お雛は緊張した。

(誰かいる?)

心の臓が、どきりと大きく打つ。

(夜、女の部屋に入り込むなんて……)

強盗か。それにしては何の物音もしなかったし、店の方で騒ぎがあった様子もない。

(じゃあ物《もの》の怪《け》？　いや、幽霊かも知れないわ)

そう思いついても、恐ろしいのが先に立って、どうやって身を守っていいのやら分からない。お雛は泣き出しそうになりながら、必死に布団から這《は》い出そうとした。すると手が、枕元にあった水差しをつかんだ。お雛は咄嗟《とっさ》にその水差しを、闇の塊に向かって放り投げた！

「わ、わああっ」

妙に鈍い音と悲鳴が、部屋の内に上がる。闇の間から、お雛の寝ている布団のすぐ横に、誰かが転がり出てきた。それは、派手な石畳紋の着物を着た男だった。

「何をするんだ。止《や》めとくれ！　あたしは屛風なんだよ。水なんか掛けられちゃあ、紙が溶けて破けてしまうじゃないかっ」

男は酷く慌てた素振りで、手ぬぐいを取り出し、体を拭《ふ》き始めた。水差しが当たったのか、見れば額に小さな瘤《こぶ》ができているのに、そのことは考えもしないようすで、水を拭《ぬぐ》うのに必死だ。

「はあっ……？」

どすも包丁も持っていないようだ。夜、女の前にいるというのに、お雛の方など見もしない。ただひたすら、ぶつぶつと文句を言っている。

その余りに堂々と、あっけらかんとした仕草を見て、お雛は思わず口に笑みを浮かべてしまった。体から緊張感と怖さが、少しずつ消えていく。どう見ても目の前の男は、幽霊ではないし……女に興味があって、部屋に入り込んだようにも見えなかったからだ。

すると今し方男が口にしたことが、頭の中に蘇《よみがえ》ってきた。ゆっくりと驚きが湧《わ》いてきて……お雛は男に尋ねていた。

「あの……お前さん今、己のことを屛風だと言ったわよね？」

確かにそう聞いた気がする。男は体を拭き続けながら渋い顔で「言ったよ」と、短い返事をした。当然のことだと言わんばかりだ。ちゃんと答をもらったというのに、お雛は驚いて黙ってしまう。

（びょ、屛風？　この男が実は、長崎屋の部屋にあったような屛風だっていうの？）

およそ、あり得ないことだ。男はちゃんと、人の姿をしているではないか。それどころか派手な着物をしゃきりと着こなし、髷《まげ》も粋な形で、なかなかに様子が良い。強盗に入ってきて見つかったので、奇妙な言い訳をしてみたのだろうか。

しかしそれにしては、いつまでも悠長に手ぬぐいで体を拭いている。お雛は思い切って布団《ふとん》の上に身を起こし、男に向き合った。

「あのお……屏風さんとやら、どうしてこんなところにいるの？　もう夜よ。皆寝ている刻限なのよ。なのにあんたは、あたしの部屋の内にいた。驚いたから、水を掛けちゃったわよ」

「屏風さんとやら、じゃない。屏風のぞきだ。それがあたしの名だよ」

男はどんなつもりなのか、生真面目《きまじめ》に名のってきた。思わずお雛も、布団の上で頭を下げる。

「あ、はい。屏風のぞきさんですか。あたしは……お雛といいます」

「あたしがここに来た訳は、印籠だ。それを返してもらいに来たのさね。そいつはあたしの物なんだよ」

すいと屏風のぞきが指をさした先にあるのはお雛の手で、白波の絵も美しい印籠が握られている。先程お雛はこれに見入っていた。

「これ……？　あ、ああ、そうか。そうなのね……それで妙だったんだ」

お雛はその時、不意に今どういう状況なのか得心がいった。

「さっきから何かおかしいと思ったわ。でもようやく分かった。納得できたわ」

「何の話だ？」

今度は屏風《びょうぶ》のぞきがちょいと首を傾《かし》げ、聞いてくる。お雛は、はっきりと言い放った。

「あたしはとうに眠っていたのよ。布団に入ったんだもの、当たり前よね」

「はあ？」

「つまりこれはきっと、あたしの夢なんだ。印籠を長崎屋さんに返しにいかなくてはと、寝る前に考えていたからよ。それと、昼間に長崎屋さんの離れで屏風が倒れたことを、頭の中でくっつけてしまって、夢に見ているのね。夢だから、己のことを屏風だなんて言う男の人が、出てきたんだわ、きっと」

「……はああ？　あたしが夢の内の生き物だって？　貘《ばく》の眠りに巻き込まれたとでも思うのかい？」

屏風のぞきは呆《あき》れた表情を作って、お雛を見てくる。しかし、そもそも真っ暗闇である筈《はず》の部屋の中で、相手の顔が分かることが夢の証拠であった。そう言うと、屏風のぞきは顔をしかめている。

「火が無いのに明かりがあるのは、青鷺火《あおさぎのひ》の羽を貸してもらっているからさ。普通ならあたしは闇でも困らないが、今日は印籠を捜す気で来たんでね。この羽は闇の中で光るんだ」

そう言ってから屏風のぞきは、青く美しい光で出来たかのような、羽を一本見せた。ビードロのように透ける羽が動くと、青や緑や紫の色が見えては消えていった。

「青鷺火の羽？　すごく綺麗ねえ。あらまあ、あたしの夢の中なのに、知らないことが出てきているわ」

「やれやれ、まだ夢というのか。まあ……いいや、お前さんがそう思いたいのなら、どうだろうと勝手さ。しかし、あたしはわざわざ、無くしたものを取りに来たんだ。早く印籠を返しちゃあくれまいか」

屏風のぞきが手を出してくる。お雛はひょこりと首を傾げた。そして、

「まだ駄目」

そう言って、印籠を体の後ろに隠してしまう。

「ねえ、屏風のぞきさん。せっかくあたしの夢に出てきたんだから、ちょいと話を聞いてよ。誰ぞに喋《しゃべ》りたいのに、言えないことがあったの。夢の内でなら正直に吐き出せそうだから、丁度《ちょうど》良いわ」

お雛が嬉《うれ》しそうに言う。屏風のぞきは、心底迷惑そうな声を出した。

「何だって？　どうしてあたしが己の物を取り返すのに、そんなことをしなきゃならないんだい？　大体お前さんは、あたしに物を投げつけといて、その上そんなことを

言うのかい？　額を見や、瘤が残っている」

しかし屏風のぞきが文句を言っている内に、お雛はさっさと話を始めてしまった。屏風のぞきは一寸《ちょっと》、ぐぐうと口の端をひん曲げた。だが仕方がないと思ったのか、布団の脇に座り込む。

「そもそもの始まりは、あたしの両の親が、早くに亡《な》くなったことかしら」

まだお雛が五つほどのことだった。すぐに問屋をしていた祖父母に引き取られたのだが、お雛は二人とそりが合わなかった。祖父母は一人残された孫の行く末が心配であったのだろう、厳しく育てたのだ。だが、親を一度に亡くしたばかりのお雛には、それが殊《こと》の外《ほか》つらかった。

始まりが噛《か》み合わないと、なかなか上手《うま》くいかないものらしい。そんな関係のまま十二になった年、お雛は化粧を始めた。

塗るようになったきっかけが何だったのか、もう覚えていない。だが白く塗った顔でいると、違う己でいるようで、祖父母と対しやすかった。おまけに店は紅白粉《べにおしろい》問屋だったから、畳紙《たとうがみ》の袋に入った白粉や、紅猪口《ちょく》に塗られた紅はいくらでもある。最初、まだ早いと、祖父母は化粧によい顔をしなかった。心配もされた。しかしお雛は化粧を止めず、美しい色刷りの絵が付いた空の畳紙が、山のように捨てられていった。

年と共に、祖父母はだんだんと頑固さが増してくる。お雛の化粧も凝ってきて、白粉はいよいよ厚くなる。じきに顔は桁《けた》はずれて白くなって、近所でもそんなお雛のことが噂《うわさ》となっていった。

人の話が、気にならない訳ではなかった。それでもお雛は、厚化粧無しではいられないのだ。いや、今では却《かえ》って塗らずに人前に出ることが怖い。素の顔でいると、むき出しの己を見せているようで、ひどく心許《こころもと》なかった。何だか守ってくれるものが、何も無くなるようで……。

「でもあたし……このところ、この化粧が気になるの。いつまでもこんな化粧をしていて、いいのかなって」

そこまで聞いて、瘤に手ぬぐいを当てていた屛風のぞきが、いぶかしげな顔つきを浮かべる。

「そりゃあお雛さん、あんたが毎日している化粧は左官の漆喰《しっくい》仕事みたいで、迫力だ。でも人にあれこれ言われるのは、以前からのことだろう？　何で今になって気にするのさ。聞き流しなよ。出来てきたろうに」

「それが……最近、難しくなったのよ」

今更馬鹿《ばか》な話だとは思う。今更だから、気になるのだとも思う。お雛が視線を布団に落としていると、屏風のぞきが不意に口を歪《ゆが》め、大きくにやりと笑った。腕を組んで、わけしり顔で頷《うなず》いている。

「ははあ……。長崎屋で聞いたよ、確かお雛さんには許婚《いいなずけ》がいなすったよね。正三郎さんだっけ。もしかしたら変に気にしだしたのは、そいつのせいか……」

「あの、あたしは」

「いやあ、そうかあ。お雛さんも女だねえ。塗り壁の親戚《しんせき》みたいな顔をしてても、女心は人並みなわけだ。いやいや、こりゃこりゃ」

「言ったわね！」

気がついたらお雛は、今度は印籠《いんろう》を振りかざしていた。途端に顔を強《こわ》ばらせた屏風のぞきが、短い悲鳴をあげる。

「わわっ」

辺りからぱっと青い光が消えた。戻ってきたのはいつもの暗闇だ。もう印籠も手も見えなかった。

「ちょっと、いきなりいなくならないでよ」

闇に向かって声を掛けてみるが、返答はない。どうやら屏風のぞきは、一寸にして消えてしまったようだ。

こうとなったら、どうしようもない。お雛は簡単に返すものかと印籠を握りしめたまま、布団に潜り込み夜着を頭から被《かぶ》った。

3

気がつけば朝が来ていた。

廊下の板戸はもう開けてあるのだろう、襖《ふすま》の隙間《すきま》が明るい。いつもと何も変わったところのない静かな部屋の内で、お雛は床の上に身を起こした。手に印籠の組紐《くみひも》が引っかかっている。

「夢を見た……のよねえ」

何だか奇妙な夢であった。己を屏風だという男と、闇の中で出会ったのだから。

「印籠を持って寝たから、あんな夢を見たのかしら」

やや呆然《ぼうぜん》としていたとき、一色屋の店の方から物音が聞こえてきた。とにかく一日が始まろうとしている。お雛は急いで起き出すと、誰も部屋に来ない内に身支度をと、鏡台の前に座った。

引き出しから下地の水を取り出し、顔につける。次に白粉を水でとくと、刷毛《はけ》で顔に厚く塗りたてた。今日もあっという間に畳紙の中の白粉が空になる。

袋には人気の役者絵が綺麗《きれい》に色刷りされていた。この絵を切り取って集めているという話はよく聞くが、お雛はその紙袋をろくに見もしなかった。丸めると側の小さなくず物入れに放り込む。

よく使う白粉の袋は、すぐに溜《た》まってゆく。気になり始めた厚化粧の証《あかし》のように思えて、お雛はさっさと捨てることにしているのだ。

次に眉《まゆ》に際墨《きわずみ》を入れ、その下に一際白い粉を重ねる。目尻《めじり》に赤を入れ、紅をぼってりと見えるまで重ねる。すると、どこか安全な場所に隠れたかのように、ほっと気持ちが落ち着いた。今日の化粧もたいそう厚い。

そうして鏡を覗《のぞ》いていると昨夜お雛の化粧を、左官の漆喰仕事みたいだと言った屛風のぞきのことが、思い出されてきた。

「口の悪い奴《やつ》だったわよねえ」

それにしても、屛風のぞきと名のったあの男は……妙になまなましかった。その上粋《いき》がっていて厚かましく、話をしていると腹が立つ相手だ。でも気軽に話せるのはいい。

「水に弱いなんて、面白いわ」

お雛は一人で小さく笑うと、もう一度印籠をよく見てみる。今日、この品を長崎屋に返しに行くつもりであったが……何となく、もう少し持っていようと思い始めている。あの夢のせいだ。

「まだ話の途中だったのに、屏風のぞきったら消えてしまうんだもの。せっかくの夢なんだから、せめてあたしが話したいだけ全部を、聞いてくれればいいものを」

夢の内ならば誰にも聞かれないから、話しても気が楽であった。お雛は今宵《こよい》も印籠を持って寝てみることにし、袖《そで》に隠した。もしかしたら続きが見られるかもしれない。

じきに朝餉《あさげ》の時刻だ。祖父母は待たされるのが嫌いだから、手早く髪を整え着替える。二人がお雛のことを思ってくれているのは、ちゃんと承知していた。

だが、それでも……それでも三人で食べる朝餉の席に顔を出すとき、お雛は毎朝、腹の底に力を入れてから部屋の襖を開ける。お雛以上に祖父母は、厚化粧を厭《いと》うているのではないか。そんな気がするからだ。

お前を大切に思っているよと祖母は言う。大事な跡取り娘だと、祖父も口にする。だが、それと同じ口で、祖母はお雛の両親さえ生きていれば良かったのにと、毎日愚痴を言い、祖父は孫息子がいなかったことを、日々残念がる。

たまらなかった。

夜となる。

だが、昨日寝付きが悪かったせいか、寝床に横になると、お雛はあっという間に眠くなってしまった。これでは夢一つ見ずに、朝まで深い眠りの中にいそうだ。

一寸、そんなのはつまらないなと思ったが、その先は何も考えられなかった……。

「おい、起きろ。印籠を抱えたまま、ぐうぐう寝ているんじゃないわ」

どれ程経《た》ってからだろうか。お雛は不機嫌な声に起こされた。

いや、起こされた夢を見た。

布団《ふとん》の上に起きあがったのにも拘《かか》わらず、今が夢の内だと知れたのは、目の前に屏風のぞきの顔があったからだ。今宵もぼうっと青く麗《うるわ》しい光に包まれている。昨日《きのう》お雛が水差しで瘤《こぶ》を作ったおでこのあたりが、まだくっきりと赤い。

「凄《すご》いわねえ。夢の中で眠いと思っているなんて、あたし初めてだわ」

「相変わらず訳の分からんことを言いやがって。昨日話したろうが。その印籠はあたしの物なんだ。昨日さっさと返してくれないから、また夜、取りに来なきゃあ、ならなかったじゃないか」

まさか昼間っから出歩く訳にもいかないしと、屏風のぞきは渋い顔で、ぶつぶつこぼしている。お雛は言い返した。

「あんたは昨日、話の途中で消えてしまったじゃない。まだ沢山《たくさん》、喋りたいことが残っているのよ」

「お前なあ、一晩寝たのに、まだ化粧のことでうだうだ言っているのか」

「うだうだとはなによ！　ちゃんと話を聞いてくれるまで、あたし、印籠を返さないから」

お雛がこう言い放つと、屏風のぞきがうめくような声を出した。

だが少しすると急に、機嫌を取るような優しげな顔つきとなる。すいと片膝《かたひざ》を突くとお雛に顔を寄せ、なんだか艶《つや》っぽく、こう囁《ささや》いた。

「そりゃあ悪かったな。お雛さん、化粧をどうするかで悩んでいるんだったな」

だが、お雛は心が決まっていない様子だ。

「だったらあたしが、お前さんに代わって決めてやろうか」

うん、それがいいと屏風のぞきは勝手に言い始めた。なに、決断が付けにくいことは、あるもんだからなどと、一人で頷いている。にやりと笑う。

「決めた！　毎日の化粧を薄くしなよ。それがいいさ。お雛さんは色白だ。平素は何も塗らなくても大丈夫なくらいじゃないか。まだそりゃあ若いんだから、ちょいと唇に紅をさすだけで十分だ」

屏風のぞきがきっぱりと言う。お雛はこれを聞き、一寸黙り込んでしまった。

いきなり素顔になれと言われても、はいそうですかとは返事ができない。そんなに簡単に変われるものならば、こんなに厚く厚く白粉を塗り重ねることには、ならなかったのだ。

「……だって……」

「は？　何だい？」

「……とるのが怖い……のよ」

「化粧を、か？　何でだ？」

屏風のぞきが、片眉を上げている。お雛の気持ちが、どうにも得心出来ないのだろう。

大体公家《くげ》でもなければ、男は化粧などしない。だから化粧をする女心が、分からないのだ。お雛がそう言うと、屏風のぞきは口元を歪めた。

「あのねぇ、あたしの意見は正しいんだよ。正三郎さんだって、薄化粧な方が気に入ると思うがね。あたしがこう言うのも変だが、お雛さんの化粧を見て怯《ひる》まなかったなんて、正三郎さんは大した男だと思うよ。だがね」

正三郎はお雛の許婚なのだ。もうちっとその男心を考えちゃあどうだと、屏風のぞきは言った。

「男ってえのはさ、大概綺麗な女が好きなもんなのさ。そんな女に惚《ほ》れられるのが嬉しいし、人にも自慢できる。しかしお雛さん、あんたは白壁塗り化粧をして、顔の造《ぞう》作《さく》もはっきりしない。そんな女の許婚となった正三郎さんが、人から何と言われているか想像つかないかい？」

「……噂を聞いたこと、あるわ」

お雛は布団の上で、ぐっと手を握りしめた。興味の向くままに、あれこれ関係のない事に首を突っ込み、口さがなく言ってくる者達がいるのだ。噂では、お雛が一色屋の跡取り娘だから、正三郎はその厚化粧に目をつぶって、一緒になるのだと言われている。

しかしそんなはずはなかった。正三郎は以前から、なかなかもてたからだ。

「正三郎さんは、商売の腕は確かだし、人当たりは柔らかいし、まめだし。物知りで、話が面白くて……いい男だから」

お店の跡取り娘との結婚話だとて、幾つもあったと聞いている。それでもお雛を選んでくれたのだから。

その上正三郎はお雛に、その心持ちが好きだと、優しく言ってくれている。お雛は思慮深いし、優しい気性の娘だから添うのだと。

「だから、正三郎がそう言ってくれるのが嬉しいなら、あの男のために化粧くらい落とせるだろうが」

ややじれた風に、屏風《びょうぶ》のぞきが言う。だがお雛はそれでも「はい」と返事をしなかった。

（私のこと……頑固な娘だと思っているわよね）

屏風のぞきの顔を見ると、お雛を見つめながら黙り込んでいる。お雛はとにかく何か喋《しゃべ》ろうとして……言葉が出なかった。印籠を握りしめ、また口を開け、直《す》ぐに閉じる。言いかけるが駄目で、話が出来ない。そんなことを繰り返しているうちに、印籠を握りしめている指が細かく震えてきていた。

「お雛さん？」

屏風のぞきが心配げな顔つきになる。お雛はじきに手で顔を覆《おお》った。

「お雛さん、泣いているのかい？　あたしは泣かせたくて言ったわけじゃないんだがね」

屏風のぞきが言葉と共に、手ぬぐいを差し出してくる。お雛の涙を拭《ぬぐ》おうとしたのだ。だがお雛は人前で、顔を拭ったことなどない。

「分かってるから……止《や》めてよっ」

お雛は咄嗟《とっさ》に、屏風のぞきの手を思い切り払ってしまった。途端「うっ」という声がする。払いのけたとき、お雛が手にしていた印籠の根付けで、屏風のぞきの顔をひっぱたいてしまったらしい。左頰を痛そうに押さえている。

そんなことをするつもりではなかった。

「もういやっ」

お雛は布団を頭から被り、中に逃げ込んでしまう。

「おい、打《ぶ》たれたのはあたしだよ。そいつはあたしが言う言葉だろうに」

屏風のぞきのとんがった声を、夜着で遮《さえぎ》る。布団の中は青い光すら見えず、ただ真っ暗だ。すると途端に安心した己がいた。

お雛は恐れているのだ。人目が怖いのだ。その目の奥にちらちらと垣間見《かいまみ》える、相手の気持ちにおののいてしまうのだ。

祖父母は小言を強く言うたび、お雛の化粧が濃くなってゆくことを、分かっているはずであった。それでも強い言葉を止めない二人の顔が、目の前に浮かぶ。お雛を思ってくれる気持ちがあるのは承知しているのだ。なのに、やはり疎《うと》ましくも感じてしまう。それがまた情けない。

何故《なぜ》だろうと思い、腹の底で当たり前だ、嫌なものは嫌だと思っている己がいるのを感じる。そう言うもう一人のお雛は、嫌なきつい顔をしている。

一層涙がこぼれだしていた。

長い間、それは止まってはくれなかった。

4

翌朝、起き出したお雛は、しばし布団の上でぼーっとしていた。

夢から覚めれば勿論《もちろん》今朝も、もう屏風のぞきはいないし、印籠は布団の脇《わき》に落ちている。夢を見たとき本当に泣いていたのか、鏡の前に座ると両の目が赤かった。気を紛らわせるため今朝の化粧では、一段と目のふちの赤を濃く施し、また畳紙《たとうがみ》の中身を空にする。

今日は三味線の稽古《けいこ》の日で、お雛は四つ時には女中を連れ、店から出かけた。しかし何とも稽古に気が入らないのを見抜かれて、師匠に叱《しか》られ、益々しょんぼりとしてくる。

お雛は思い立って、師匠の家の側《そば》から駕籠《かご》を拾った。永代橋《えいたいばし》の向こう、正三郎のいる深川の中屋まで、行ってみようと決めたのだ。

正三郎に奇妙な夢の話をしてみたいと思う。粋な屛風のぞきの様子など、面白がって聞いてくれるに違いない。お雛は今、とにかく正三郎に会いたかった、顔を見たかったのだ。

お付きの女中に、思わぬ遠出をさせてしまったとは思いつつも、お雛は深川に入ったとき、気が晴れてくるのを感じた。数多い堀と堀川沿いに立てかけてある木材が、日本橋とは違う深川の風情《ふぜい》を作っている。真新しい材木の香りがしている。中屋は材木問屋だから、店の周りにも数多く木が、向かい合う形で立てかけてあった。

お雛は人の出入りを避けて、少し離れた場所で駕籠を降りた。そのとき、不意に聞き覚えのある声がしたので中屋の入り口を見る。大きな藍暖簾《あいのれん》の前に正三郎がいた。店から通りへ、客を送り出してきたところらしい。

(あら、丁度良かった)

声を掛けようと思い笑みを浮かべ……口から言葉が出てこなかった。正三郎が店先でにこやかに挨拶《あいさつ》をしているのは、まだ若い綺麗な女だったのだ。お雛は見たことが無い顔だ。客だろうか。

（中屋は材木問屋なのに、若い女の客？）

なんともそぐわないが、同じ材木商の娘か、大工の娘かもしれない。でも。

（でも客にしちゃあ、正三郎さん、嬉《うれ》しそうに話をしてるわよねぇ。あんなに近づいて……）

もしかして、於りんの新しいねえやかと思いついて、直ぐに己で首を振った。

（あの上等そうな着物！　あれは奉公人の格好じゃないわ）

では誰なのだろう。正三郎はなんで若くて綺麗な女に、にこやかに笑いかけているのか！　おまけにその女は、大層薄化粧だった。

いやもしかしたら肌が白いので、白粉《おしろい》など塗っていないのかもしれない。あれこれ考えたくない思いが浮かんでは消える。お雛は駕籠から降りた場所に立ちつくしたまま、一歩も中屋に近づけなかった。

そうしている内に、正三郎は用が済んだのか、店の中に入ってしまう。お雛は一寸《ちょっと》、それはないわと思った。許婚《いいなずけ》ならば、お雛が近くに立っていることくらい、感じ取って欲しいと思う。正三郎を責めたいような気持ちになってくる。

しかし一方、お雛自身が近くにいる人のことが分かるかというと、そうではない。第一、正三郎が今見た娘をどう思っているのかすら、分からないのだから。理不尽に怒っていると己で考えながら、お雛はその気持ちを止められない。それを持て余して、うんざりもし嫌にもなる。

お雛は深川まで来たというのに、中屋に顔を出しもせずまた駕籠に乗り込むと、日本橋に戻ってくれと頼んでしまった。


「それで何でまた、べそべそ泣き面《つら》をしているんだい？」

夜となり真っ暗になって、お雛はまた屛風のぞきと向き合っていた。屛風のぞきのおでこと左頰がまだ赤い。お雛が作ってしまった跡だ。今日は何とはなしに、お雛から離れて座っているのは、被害を恐れてのことだろうか。

お雛はその来訪を待ちかまえていたかのように、顔を見るなり昼間のことを話し始めた。屛風のぞきはまずびっくりした顔になり、次に口元をひん曲げたが、それでも口を挟まずお雛の言葉を最後まで聞いてくれた。

それから一言、聞いてきたわけだ。何故泣いているのかと。

「だって……正三郎さんが話していた相手は、綺麗な女の人だったのだもの」

あの女の顔を思い出すと、また泣けてくる。要するにお雛は、焼き餅《もち》を焼いているのだ。正三郎にぞっこんなのだ。

「薄化粧が、そんなに気になるのかい？」

鋭い言葉に、お雛は頷《うなず》くしかなかった。まあ己ほど濃く塗りたくる女は見たことがないから、大概の娘はお雛にとって薄化粧なのだが。

「あたしの化粧は確かに濃いから」

「お前さんのは、ただ濃いとは言わない。まぁお面のようなもんだな。分厚いからな」

「…………」

「だから前に言ったろうが。男は綺麗な女が好きなんだと」

屏風のぞきがお雛の真正面に来て、向き合う。大きく一つ息をついた。

「ここまであたしに言われても、正三郎が薄化粧好みかもと思っても、それでも厚化粧は止められないのかい？　一体何でそうまで頑固なんだ」

なにが引っかかって、そんな態度を取っているのかと聞かれた。しかし、お雛には返答が出来ない。

「どうしても化粧を落とせないのなら、すっぱりそいつは諦《あきら》めて、そのままで通すしかないわさ。今の顔で許婚となったんだ。正三郎とて、今更祝言《しゅうげん》を止めるとは言うまいよ」

「止める？　そんなことになったら、あたし、あたし……」

やにわにお雛は、布団《ふとん》の上にわっと泣き伏してしまった。「えっ」屏風のぞきが慌《あわ》てた声を出す。

「泣いてどうするっていうんだい。おい、あたしが泣かしたことになるのかい？　なるんだろうかね。なるんだよねえ……ええい、くそっ」

きっと屏風のぞきは困った顔をしているだろうと、お雛は思った。だが涙は勝手に流れて止まってくれない。しばらく暗い中で、ただ泣いていた。

そして疑問が一つ、湧《わ》いて出てきた。

(本当に、どうしてあたしはこれほどに、化粧にこだわるのかしら)

ここまで塗りたくることに頼っているとは、己でも考えた事がなかった。気が向けば止められるものと、漠然と思っていた気がする。

(どうして……)

そのとき頭の上から、今度は落ち着いた屏風のぞきの声がした。

「参ったねえ。凄《すご》いこだわりだ。もしかしたらお雛さんは、一旦《いったん》化粧を止めると決心して口でそう言っても、明日になったらやっぱり塗っているかもしれないな」

その声は優しかったが、言葉はお雛に重く感じられた。

（きっとその通りだ。あたしは……どうしたら……）

「あたしじゃ、これ以上の考えが浮かばない。毎朝現れて、お雛さんから無理矢理白粉刷毛《ばけ》を取り上げるわけにもいかないしなあ」

そう言われて、お雛は顔を上げた。つまり、屛風のぞきにも見捨てられたということだろうか。夢の中でさえ救われないのか。

屛風のぞきは今までで一番優しげな顔をして、お雛を見ていた。それが却《かえ》って怖いような気がする。

「しょうがない、こうなったら若だんなに頼るかね。あれで、訳の分からないことの肝心な理由を摑《つか》むのは、大層うまいんだよ。お雛さんが何で化粧を落とせないのか、若だんななら話を聞けば、説明をつけられるかも知れない」

一通り話を通しておくから、明日にでも長崎屋へ行けという。

「若だんなはきっと、優しく相談に乗ってくれようよ」

そう言うと屛風のぞきは、すっと立ち上がる。思わず止めたいと思ったが、お雛にはその言葉が思いつかなかった。にやっとした笑いが目の前にあった。一歩、下がってゆく。

「もう帰るわ。今日は引っぱたかなかったな、お雛さん」

含み笑いのような微《かす》かな声を残して、青白い光が薄れてゆく。気がついたとき、お雛は一人きりになっていた。

5

翌日、お雛は四つ時には長崎屋を訪ねていた。

いつもよりぐっと早い訪問だったにも拘《かか》わらず、今日も優しく迎え入れられる。通された離れでは、若だんなが床上げをしていた。

「もう具合は良いんですか。先日は失礼しました」

お雛が謝ると、日当たりの良い居間に座った若だんなが、昨日から起きあがっているのだと、嬉しそうに笑う。

「この度は寝ていて、参ったよ。私を心配してのことだとは分かっていたけど、仁吉に布団ごと縛り上げられちゃったからねえ。粽《ちまき》じゃあるまいし」

あっさりと言うその言葉に、お雛も思わず笑みを浮かべる。すました顔で今日も茶を出してくれたのは、その仁吉だった。湯飲みの横に、お雛は印籠《いんろう》を差し出した。

「これは前回来ましたおりに、於りんちゃんが持ってきてしまったものです。お返しにあがるのが遅くなって、済みません」

白い波が描かれた印籠を、畳の上に置く。お雛はそのとき僅《わず》かに期待していた。

これは長崎屋の誰の物でもないと、仁吉か若だんなが言い出すかもしれないと思ったのだ。それとも……いきなりここで、屏風《びょうぶ》のぞきの名が出て来ることがあるのかも。

緊張している己がいた。

しかし。

「ああ、これをお持ち下さったのですか。ありがとうございます」

仁吉は微かに笑みを浮かべ、頭を下げると印籠を手に取る。若だんなも何も言わなかった。勿論屏風のぞきの名は、まったく出てこない。何とも……拍子抜けだ。

お雛はこのとき、先に倒れた屏風はどうなったかと、部屋の中を見回した。だが隣の寝間にでも置いてあるのか、屏風は見あたらなかった。

屏風のぞきは、長崎屋の若だんなに話を通しておくなどと偉そうに言っていたが、こうして長崎屋へ来てみても、実際には何も起こらない。

(やっぱり夜の出来事は、真実、夢だったんだ。間違いないみたい)

お雛は己が僅かに期待していたのを知って、可笑《おか》しくなった。その顔を見て、若だんながどうしたのか聞いてくる。

「いえね、ここ何日か、面白い夢を見るんですよ」

お雛は『屏風のぞき』と名のった男が、夜中に現れた話を口にした。その男が目の前の印籠を己のものだと言い、欲しがっていたというと、若だんな達が笑う。

「それで、その男とは何を話したんですか？」

若だんなに問われ、お雛は……やはり化粧のことは、口にするのが難しいと思った。あの静かで真っ暗な夜の中では、話すことが出来たのに。

「とりとめのないことばかり喋《しゃべ》って。何しろ夢の中であたしは、これは夢だと言ってたんですから」

屏風のぞきが水を嫌がっていたというと、また若だんな達が堪え切れぬように笑う。それから仁吉が、お雛に聞いてきた。

「夢とはいえ、その変な男に失礼なことをされませんでしたか？　いや、夜中にお嬢さんの部屋に忍んでゆくなど、端《はな》から無礼な奴《やつ》で。きっと屏風のぞきとは、とんでもない男ですよ」

そう話した途端、離れの天井が急にぎしぎしと大きく鳴った。その音が何故《なぜ》だか笑い声のようにも聞こえるから、不思議であった。

だがお雛は、にこりと笑ってゆっくりと首を振る。

「いいえ、何だか口の悪い人だったけど、嫌な感じでは無かったわ。三日も続けて悩み事の話を聞いてくれたし。ただ……」

「ただ？」

若だんなは聞き上手だと思う。つい今まで、何も話せないと思っていたのに、口から悩みが零《こぼ》れ出そうになっている。

「ただ沢山話したんですが、一つも答えを出せなくってね。それだから、何だか泣けてしまって。いえ、夢の中でですよ」

お雛の言葉を聞いて、仁吉がしかめ面をした。

「お雛さんを泣かすなんて、屏風のぞきは役には立たない奴ですね。しかも問題を解決出来なかったとは。いやいや、三日も時があったというのに」

また天井辺りが軋《きし》む。若だんながにこりと笑って、お雛に優しく言った。

「そりゃあいけませんね。人を泣かせたままにするもんじゃあないと、おとっつぁんも兄《にい》や達も、いつも言っています」

夢の中に出てくる者だとはいえ、その屏風のぞきはちゃんと、お雛の話を決着させなくてはと若だんなが言う。それから少し思案するような素振りをしたあとで、お雛に問うてきた。

「ときにお雛さん、妙なことを伺いますが」

「はい」

「お雛さんは、いつごろから化粧をなさいましたか？」

「はい？　あたしは大分若い頃から……そうですね十二くらいだったでしょうか」

いきなり何事かとお雛は訝《いぶか》しんだが、若だんなは笑うばかり。だが、お雛が気にしていることをさらりと言った。

「お雛さんには正三郎さんという、恋しいお人が出来た。今はお幸せですよね」

なのに、どうして悩み事があるのでしょうと言う。

(夢の中でした屛風のぞきとの話を、聞いていたわけでもないでしょうに)

お雛は若だんなの言葉に驚いていた。だが若だんなに、どうしてそんなことを聞くのか尋ねてみる前に、更に別の質問をされた。

その問いに答えるには一寸、間が必要だった。祖父母に関することだったからだ。

「一色屋のご主人は、なかなか厳しい方だと聞いています。お雛さんもぴしりと厳しく育てられましたか？」

「そうですね……祖父母のことが、小さい頃は怖かったですわ」

今でもその気持ちがいくらか残っているとは言えなかった。二親を亡《な》くした後、育てもらった祖父母に、文句を言っているようではないか。

このとき中庭に、菓子を下げた人が顔を出してきて、話が一旦途切れる。近くの菓子司、三春屋《みはるや》の栄吉《えいきち》という者で、若だんなの幼なじみだと紹介された。

すぐに持ってきた菓子が盆の上に出された。お雛は餡《あん》のない、ただの三色の団子だと思っていたのだが、食べてみたら大層甘かったりやや固かったり、妙な味わいで面白い。仁吉を含め、四人で菓子談義に花が咲いた。

そうこうしている内に時が過ぎ、お雛は長崎屋の離れを辞した。

(やっぱり夢は夢か。若だんなは屛風のぞきを知っているとは、一言も言わなかったわ)

当たり前だと思い、残念にも感じた。そしてお雛は長崎屋の前から駕籠《かご》に乗り、印籠とも夢とも別れを告げたのだった。


「おいおい、せっかく来てやったのに、また暢気《のんき》に寝てるのかよ」

その日の夜中、お雛は突然、もう馴染《なじ》みになった声を聞いた。驚いて暗い中起きあがると、ぼうっと青白い光を背負った屛風のぞきが側にいる。

「あれまあ……あたしはもう、印籠を長崎屋さんに返したのよ。なのにどうしてこんな夢をみるんだろう」

　半分寝ぼけた声でゆったりと言うと、屏風のぞきが左目を指さした。見れば薄暗い中でも、目の回りに痣《あざ》が出来ているのが分かる。

「お前さん長崎屋で、昨夜あたしといる内に泣いたと言っただろう。おかげであたしはお雛さんが帰った後で、若だんな達に、何をしているんだと問い詰められたんだよ」

「それで殴られたの？　あの優しい若だんなに？」

「まさか。ただ少しばかり不味《まず》い返答をしちまって……」

　分かりもしないのに五月蠅《うるさ》いことを言うなと、若だんなを突っぱねたのだ。

「そうしたら何様のつもりかと、あの仁吉が、あたしを殴り飛ばしたんだよ！」

　若だんなが止めなかったら、佐助《すけ》にも殴られたところだと言って、屏風のぞきは不機嫌な顔をしている。お雛はおでこと左頬、それに左目の回りに青痣が出来て、ぶち猫のようになった顔に頭を下げた。

「これじゃあ、文句を言いに来たくもなるわね。ごめんなさいねえ」

　屏風のぞきは片眉《かたまゆ》を上げ、大きく息を吐《つ》いてから、お雛の前に座り込んだ。すっと顔を近づけてきた。

「そうじゃあない。そんな用で来たんじゃないんだ。あたしは今晩こそちゃんと、お雛さんの化粧の問題を何とかするために、寄ったんだよ」

男だからねと、粋《いき》がった風に言う。

「えっ？　屛風のぞきじゃどうにもならないからって、昨日言ってなかった？」

「まあねえ。でも大丈夫、若だんなにやるべきことを教わって来たから。あたしは今日、随分と前から一色屋に来て、店や主人の居間などで捜し物をしていたんだよ」

屛風のぞきの言葉を聞いていると、お雛はどうにも、これが夢だと思えない時がある。妙に具体的で、お雛の考えもしないことを、言ったりするからだ。

「若だんなは、お雛さんの爺《じい》さん婆《ばあ》さんが書いた日記とか、書き付けなどを捜してみろと言ったんだ。それで気合いを入れて文机《ふづくえ》の中など、見てみたんだ」

お雛が首を傾《かし》げる。

「どうして若だんなは、そんなものを捜せと言ったの？」

「お雛さんが化粧を始めたり、濃く塗るようになった辺りで何があったか分かったら、厚塗りをするわけが分かるかもしれない。そう考えたからだと。正三郎のために薄くしたくとも、なかなか出来ないなんて、奇妙な話じゃあるからね」

何かがお雛の昔に潜んでいるのだ。それが細引きとなって、お雛の心を縛っているのかもしれぬと若だんなは言う。粽みたいに布団に縛られていた若だんなのように、一歩も先に踏み出せぬよう、何かに搦《から》め捕《と》られているとしたら。

理由が分かれば、対処の仕方も見えてくる。屛風のぞきは、その何かを捜したのだ。

「あたしにはお祖父《じい》様やお祖母《ばあ》様が、あたしのことをわざわざ日記に書き留めているとは、思えないけど」

「うん……あたしの捜し方が悪かったのか、端から無かったのか、日記の類《たぐい》は見つからなかったよ」

屛風のぞきはそう言ってから、ちらりとお雛を見る。お雛はその言葉を聞いて、うっすらと笑っていた。

「確かに、書き付けはなかった」

だがと言葉を継ぐ。袂《たもと》の中を探っている。

「こいつをおかみさんの小簞笥《こだんす》の中で見つけたんだ」

その言葉と共に、屛風のぞきは思わぬほど沢山のものを袖から出し、お雛の目の前に差し出してきた。畳の上に並べられたものに、お雛は目を見張った。

6

「これは……」

お雛には咄嗟《とつさ》に、それが何だか分からなかった。錦絵《にしきえ》にしては大層小さいが、綺麗《きれい》な色刷りのものが、少しずつ束にされくくられている。それがお雛の目の前に、小山となるほど積み上げられていた。

見ればくくられた束の一番上に、年と月が書かれた小さな紙が挟んである。一つの束を手に取って、お雛にはその紙が何なのか分かった。袋の端に、『御おしろい』と刷られていたからだ。

「まあ……見慣れているものなのに、何で分からなかったんだろう。こんなに沢山、一度に見たことが無かったせいかしら」

全《すべ》て、白粉《おしろい》を入れる畳紙《たとうがみ》の袋だったのだ。

一色屋は紅白粉問屋だから、畳紙の袋くらい沢山店にあるが、しかし目の前の袋は全て、新品ではなかった。袋の口から微《かす》かに白粉の香りがする。皺《しわ》になったものを、延ばしたような袋も多くあった。屏風《びょうぶ》のぞきが、小さな紙に書かれた日付を指さす。

「若だんなが、年や日が記されたものがあったら、それにも目を向けろと言ってたんでね。どうだい、これは若だんなが捜せと言っていたものだと、思うかい？」

屏風のぞきの言葉を、ほとんど聞いていなかった。お雛の顔は、目は、畳紙に吸い寄せられている。

「この年は……この字は……」

くくられていた紐を外すと、とりどりの絵が束の下からも現れ、畳の上に落ちる。歌舞伎《かぶき》役者の麗《うるわ》しい顔。姫君のような綺麗な女が、花かんざしを挿《さ》した姿。空に浮かぶ白い月。白い兎《うさぎ》。白を強調した絵付きの袋をどれも、お雛はよく知っていた。見たことがあったのだ。

「これ……あたしが使った白粉の空袋だ」

お雛は急いで袋の山を幾つも手に取り、日付を確かめる。それはお雛が化粧をするようになってから、月ごとに集められくくられていた。横に並べると、お雛の使う白粉の量が増えていったのが、一目で分かった。

「畳紙は紙屑《かみくず》入れに捨てていた。あたしはそう思っていたのに」

「一色屋のおかみさんが、拾い集めておいたんだね」

「それに、挟んである紙に書かれたこの字。これ、お祖父様の手だ」

お雛は呆然《ぼうぜん》として、綺麗な色刷りの小袋の山を見つめている。では祖父も祖母も、もうずっと二人して、お雛の化粧のことで気を揉《も》んでいたのだろうか。

そんなこと……そんなことは一言だとて、聞いたことはなかった……。

「それにしても、よくぞまあ、ここまで白粉を使ったもんだな。厚塗りになるわけだわさ」

ちょいと目を見張って、屛風のぞきが紙袋を見つめている。己で集めてきた物とはいえ、こうして並べてみると、その多さに驚いているのだろう。

白粉袋、そして白粉を塗ること自体、男があまり目にすることが無いことであった。それだけに素の女を感じて、少しばかり腰が引けるのかもしれない。

そのとき屛風のぞきが急に慌《あわ》てた。お雛が隣で、静かに泣き出していたのだ。

「おい、今度は何で泣いているんだよ。あたしが虐《いじ》めたって言うのかい。そりゃあ厚塗り化粧だって、ちょいと言っちまったが。でもそんなこと、これまでにだって……」

「違うのよ。悲しいんじゃない。ただ」

お雛は白粉袋の束の一つを手にしていた。その束の上にある紙には、日付の他に一言添えてあった。

『お雛、十五』

祖父の字であった。膝元《ひざもと》にあるもう一つの束の紙には、『お雛、十六』と書かれている。お雛にはその意味が分かった。

「あたしが年頃になってきたのに、益々厚化粧をしているから……お祖父様もお祖母様も心配だったんだ」

このままでいいのかとか、この先婚礼の相手が見つかるか、とか。目の前にあることんなに短い言葉から、祖父母の悩みが手に取るように見えてくる。お雛の化粧は、思っていたよりずっと悩みの種だったに違いない。その気持ちを胸に納めて黙っていてくれたのだ。

長年色々言われてきたが、化粧を落とせと命令されたことはなかった……。

涙が出ていた。昨日のように、泣きたいと思った訳ではない。何かがお雛の中から溢《あふ》れて、流れ出してこぼれている。止まらないのだ。

だから泣きながら少し笑うことができた。

「そ、そうだよ。笑った顔の方がいい」

屏風のぞきは懐《ふところ》から手ぬぐいを取り出すと、今日は断ることも忘れて、いきなりお雛の涙を拭《ふ》く。

思わず笑顔が引っ込んだ。

「一昨日も言ったでしょう。やめておくれなさいな。化粧が落ちてしまう!」

「はっ?」

屏風のぞきの、手ぬぐいを持った手が止まった。ぽかんとしたような、呆然としたような、奇妙な顔をしている。

「化粧?」

真顔で聞いてくる。

「おいおい、今は夜中なんだよ」

寝る前に化粧は落としただろうと言われて、お雛は身を固くした。そう言われればそうだが……でもこれは夢で、夢の中だからその、だからその。

「あたしは今、化粧をしていないの? 素のままだというの?」

お雛は両の手で顔を覆《おお》った。かすれて裏返った声を聞き、屏風のぞきの顔が面白がっている風に変わる。

「今更何を言ってるのさ。お初にこの部屋で会ったときから、ずっと素顔だったよ。だって、厚化粧のまま寝る人はいないからさ」

「……………」

お雛は声もない。知らぬ間に顔に何も塗らず、人と相対していたのだ。それこそ化粧をするようになってから、初めてのことだった。何年ぶりになるのか、すぐに数えられるはずが、それも分からぬほどに動揺している。肌が粟立《あわだ》っていた。

「だから前に、色が白いと言ったじゃないか。その時気がつかなかったのかい？」

声が出ないので首を振る。その様子に屏風のぞきが「おやあ」と苦笑した。

「お雛さんは化粧をしなくとも、随分とかわいいよ。前に言っただろう。化粧したくば、紅をちょいと口に塗るだけで十分だって」

それを聞いてお雛は大層ぎこちなく、少しばかり微笑《ほほえ》んだ。

「笑ったか。うん、いいねえ。あたしはその顔の方が好きだね」

屏風のぞきが、嬉《うれ》しそうな顔をする。

「それにお雛さんが笑ってくれたら、あたしはもうあの仁吉めに、殴られずに済むよ。あいつときたら人じゃあないから、おそろしく力がある。たまったものじゃないのさ」

「は？　長崎屋の仁吉さんが、人じゃない？」

驚いたら、思わず声が出ていた。屏風のぞきのとんでもない話は続く。

「勿論《もちろん》あいつは妖《あやかし》さ。白沢《はくたく》という名を持っているんだ。もう一人の手代、佐助だって正体は犬神《いぬがみ》という妖だし。他にも離れには、沢山の妖が顔を出すんだよ」

屏風のぞきによると、於りんが長崎屋で騒ぐのも、妖のためらしい。

「どういう訳だか、あの子には妖が見えるんだよ。まだ小さいせいかね」

於りんは特に、鳴家《やなり》という小鬼の妖が気にいっており、見かけると抱きかかえようとするのだそうな。すると怖いからか、それとも興奮しながらの追いかけっこを楽しんでいるのか、鳴家達は、

「ぎゃわぎゃわ」

「きゃたきゃた」

押し殺した声を上げながら、一斉に逃げ出す。先日は於りんと追いかけっこをしている内に、鳴家が長崎屋の離れにある屏風を倒してしまったらしい。

お雛が長崎屋の離れに顔を出すたびに、奇妙な声がするわけは、そういうことだったのだ。

「まあ長崎屋には、妖が集まるようになっているのさ。何故《なぜ》かといえば、それは長崎屋先代の妻おぎん様が、皮衣《かわごろも》という名を持つ大妖《たいよう》であったせいでね」

つまりいつも寝込んでいる若だんなは、とんでもなく病弱であるが、高名な妖の血を引いているのだ。外出《そとで》もままならぬ身だが、妖達を見ることができる。兄や達にと

にかく大事にされているが、その二人は共に妖である、ということだそうな。

「凄《すご》い。今日の夢は、一段と凝っているわ」

お雛は話を聞きながら、しばし呆然としている。

「やれ、まだ夢だというか」

屏風のぞきは小さく笑ったあとで、まあいいかとつぶやいた。会うのは今宵で終わりになりそうだ。夢と思えば、不可思議を感じることも少ないだろうと言う。

「あの……今度は本当に、もう夢の中に来ないの？」

お雛がおずおずと問うた。屏風のぞきが頷《うなず》く。

「お前さんは素顔で笑えるようになった。今度の悩みは、もう解決だ」

「でも……本当に大丈夫かしら。それに他の問題が顔を出すかもしれないし。明日からも夢をみられない？」

思い切って聞いてみた。しかし、あっさりと首を振られた。にたっと笑う。

「明日は白粉を塗らないでいること。そしてこれからの悩みは、正三郎さんに聞いて貰《もら》うことだ。何たって許婚《いいなずけ》だ。程なく亭主になる人だろう？　そうだろう？　話はその人にするのが一番さ」

「ええ……その通りだけど」

素直に返事をした途端、いきなり青白い光が無くなった。屛風のぞきの姿が、一寸の間に消えてしまう。

「なによ、真っ暗！」

お雛は慌てた。そして急に心細くなった。これは夢なのに……何でお雛の思い通りにはならないのだろう。どうしてこんな不安の中に、一人取り残されることになるのだろう。

そのとき暗い中、馴染《なじ》みの声だけが聞こえてきた。

「おいおい、今は夜なんだぜ。暗いのは当たり前。寝なよ、明日のために」

優しい言い方だった。だが別れの言葉には違いない。この部屋にある畳紙は、屛風のぞきが返しておくという。

「ちょっと待って！　あれは置いておいてくれない？　そうじゃないと、本当にお祖父様やお祖母様があたしを思ってくれてたって、朝になったら分からないじゃないの」

頼んだが、含み笑いを返されただけだ。

「物の問題じゃなかろうが。お雛さんは爺《じい》さん婆《ばあ》さんのことを、夢の内でちゃんと信頼してた。つまりお互い心の底で、しっかり繋《つな》がっていると知ったんだ。それだけで十分だろうに」

「だ、だって、だって……」

心細げな声を出したが、闇の中からはもう、返事は無かった。

「屛風のぞき？」

呼んでも返答は来ない。

お雛はしばらく、一人きりで真っ暗な中、座り込んだままでいた。

「行っちゃったの？　屛風のぞきは、もう本当にいないんだ……」

きっと明日の朝になったら、部屋の内はいつものように、何も変わっていないだろう。何故ならこれは夢で、屛風のぞきも夢で、朝が来ると消えるものだからだ。

(そうよね。でなきゃ長崎屋さんは妖だらけで、若だんなは妖の孫ということになる。於りんちゃんは小鬼と遊んでいるんだっけ？)

そんな不思議なことがあるはずは無かった。やはりこれは夢だ。

だけど。

(明日は……ひょっとしたらあたし、白粉を塗らずにいられるんだろうか)

もしかしたら、できるかもしれない。たとえ夢の中でも、素の顔がかわいいと褒《ほ》めてもらえたのだ。畳紙を祖父母が持っていると夢で思ったのは、そうあってほしいと、信じたいと、己が思っている証《あかし》だろう。

（もしかしたら正夢ということもあるかも。本当に祖父母は、畳紙を集めてくれているかもしれない。明日私も捜してみよう）

畳紙が真実あったら……そのときは塗らない顔のまま、深川に行ってみようか。正三郎に会って、その顔でちゃんと笑ってみたい。そうしたら、あの薄化粧の若い女のことも、もう気にならなくなるにちがいない。お雛は初めてそう思った。

（できるかしら）

きっと、きっと、やれるはずだ。そうあって欲しい。そして正三郎はにこりと優しい笑みでお雛を見るのだ。

大丈夫、大丈夫だ！

お雛は小さく頷くと、真っ暗な中、布団《ふとん》に潜り込んで、ゆっくりと目を瞑《つむ》った。

動く影

序

　ある日、廻船《かいせん》問屋兼薬種《やくしゅ》問屋、長崎屋の離れの障子に、奇妙な影が映った。

　晴れた日の昼過ぎのことで、病み上がりの若だんなは、ころりと着ぶくれた格好で、大人しく日当たりの良い縁側に座っていた。すると、後ろの障子に映った若だんなの影だけが、ふらふらと勝手に動いたのだ。

「何やつ！」

　それを見とがめた佐助《さすけ》が、さっと厳しい眼差《まなざ》しを障子に向ける。仁吉《にきち》が素早く若だんなを背に庇《かば》った。

　すると影は慌《あわ》てて、障子から走り去ってしまった。

　二人の兄《にい》や達は、誰もいなくなった障子を、怖い顔をして睨《にら》んでいる。そこに若だんなの、のんびりとした声がした。

「あれまあ、これは久しぶりだこと。影女《かげおんな》じゃないかな」

その言葉を聞いて、居間の天井の隅から転がり出てきた者達がいる。小鬼である鳴家《やなり》達だ。

「若だんな、影女ですって」

「ありゃあ、また現れたんですか」

「影女が出たからって、今度は勝手に外出《そとで》をなすっちゃ駄目ですよ」

「ほら佐助さん達が、怖い顔で見てる」

鳴家達は若だんなの膝《ひざ》に上がって、きゅわきゅわ、きゃいきゃい、かしましい。その話を聞き、仁吉が首を傾《かし》げた。

「何と、影女とは。あれ、今まで影女が離れに現れたことがありましたかね？」

「勝手に外に出たんですか？　いつの話です？」

佐助の声が低い。若だんなは慌てて二人に説明した。

「嫌だね、もうずうっと前の話さ。だってまだ、仁吉も佐助も、長崎屋に来ていなかったときのことだよ」

確か影女の一件があって暫《しばら》く後に、祖父の伊三郎《いさぶろう》が二人の兄やを、長崎屋へ連れてきてくれた気がする。遊びたい盛りの孫には、もう乳母だけでは足りぬと思ったようだ。

この話を聞いて、鳴家達が胸を張った。

「では我らがこの離れの、一番の古株であります。若だんなが赤子の時から、存じ上げております る」

「我らの方が、若だんなのことを、よーく知っておりまする」

「我らが一番、一番」

盛んに主張する鳴家達に、ここで一言「ふんっ」と言ったのは、屏風《びょうぶ》のぞきだ。屏風に巣くう妖《あやかし》で、付喪神《つくもがみ》であった。屏風の中から足だけ外に投げだし、にやにやとしている。

「何が一番なものかね。鳴家達ときたら兄やさん方が来るまで、若だんなを軒先から見ているだけ。話しかけもしなかったじゃないか」

「それは屏風のぞきも同じ事だよう」

わいわい、ぎゅわぎゅわ言い合っている。確かに若だんなが妖達と親しくなったのは、犬神《いぬがみ》、白沢《はくたく》という妖の本性を持つ、佐助と仁吉が来てからであった。それまでは、妖がいればそうと分かっただけ。一緒に遊ぶなど、思いも寄らなかった。

「あの頃も寝付いてばかりだったし……妖達もいなかった。寂しかったよ。今は皆がいてくれて、凄《すご》く嬉《うれ》しいよ」

そう言って若だんなは、鳴家の頭を撫《な》でる。「きゅんいーっ」鳴家達はそれが気持ちがいいのか、皆で手のひらの下に潜り込もうとする。それで若だんなの膝の上では、鳴家が大きな団子の塊のようになってしまった。

「邪魔だよ。重いだろうが」

そう言って、佐助が払いのけている。

「昔は毎日、外で遊ぶことばかり考えていた気がするなあ」

幼い頃、若だんなが友達といって思い浮かぶのは、三春屋《みはるや》の栄吉《えいきち》くらいのものだった。しかもその栄吉にとって若だんなは、単なる友達の一人だったのではあるまいか。だが影女の件の後、栄吉と若だんなは一緒に遊ぶことが増えた。大事な話をすることが多くなり、互いに相談相手になり、共に大きくなった。かけがえのない友になっていったのだ。

そのきっかけとなった影女の一件は、一太郎《いちたろう》にとって忘れられない思い出だ。

「だけどさ、あの件が終わった後、私は長く長く寝込んだんだよ。ちょっと良くなっちゃあ、また寝込む。結局本復したのは夏だったな。仁吉達がお祖母《ばあ》様の薬を持って、長崎屋へ来た後じゃないかな」

それでも影女の一件は良い思い出だ。そう言うと、兄や達が興味深げな顔を向けてくる。

若だんなは縁側で、幼い頃のことを語った。

1

一太郎が五つの春のことであった。

あの時も、またまた寝込んだ直《す》ぐ後だったと思う。そんな具合では遊ぶことも出来ず、小さかった一太郎は、寝起きしている長崎屋の離れの縁側に、ぽつんと座っていた。すると部屋で針仕事をしていた乳母のおくまが、変わった噂《うわさ》話を聞かせてくれたのだ。

廻船問屋長崎屋のある通町《とおりちょう》の日本橋の辺りに最近、飛縁魔《ひえんま》という妖が出るという。

「飛縁魔は美しい妖だそうです。魅入られると財を失い身を損ね、ついには命までなくす、などと噂されていましてね」

最初はただの噂話にみえた。だが、噂が消えぬので、心配する者も出てくる。それで先日祖父の長崎屋伊三郎をはじめ、通町の店の者が何人か集まり、妖退治で高名な広徳寺《こうとくじ》へ相談に行ったらしい。

「飛縁魔かあ」

その話を聞いた一太郎は、大人のようにため息をついた。

「じゃあ、おじいちゃまは今、忙しいんだ。今日も遊んでくれないね、きっと」

ちっちゃな一太郎にとって、妖よりも遊びの方が、大切なことであった。五つといえば、近所の子供らと集まって、一日中遊んでいても足りぬ年頃だ。だが一太郎にはほとんど友がいない。

(乳母が、外で遊び回るのを、許してくれないんだもの)

まあそれも無理もない話で、一太郎は近在で知らぬ者はないほど、ひ弱な子であった。か弱さに筋金が入っている。前に小半時《こはんとき》、皆と目隠し鬼をしたら、一太郎はくたびれてひっくり返り、熱を出し寝込んでしまった。

(これじゃあおっかなくて、誰も遊びに誘っちゃくれないよ)

おまけにそんな一太郎を、おくま以上に心配する者らがいた。両親だ。

大事な一粒種が転ぶんじゃないかとか、走ったら熱が出るとか、犬に吼《ほ》えられやしないかとか、一太郎が外に出ている間中、気を揉《も》むのだ。息子が麻疹《はしか》や疱瘡《とうそう》を拾うのが怖い。人さらいが怖い。迷子になる。鎌鼬《かまいたち》に切られる。それこそありとあらゆる難儀が一太郎に降りかかると決めているかのようだ。

(心配してもらってるんだ)

だがそのせいで、一太郎は益々外に出してもらえない。思わず小さくつぶやいた。

「他の子らと遊びたいよう」

おくまにその声が聞こえたのかどうか。だが遊びに行ってもよいという一言は無く、おくまはまた別の話を聞かせてくれた。

「そうそう、ぼっちゃん、旦那《だんな》様はそのうちお隣の家を買って、そっちへ店を広げるおつもりのようですよ。薬種問屋を始めるとか。ほんに長崎屋は年々栄えてます。全く、守り神が付いているみたいで」

店が増えるとは初耳であった。おくまは達磨《だるま》柄の火鉢《ひばち》の横で、にこにことしている。新しい店の奥向きは、おくまに任されるという話なのだ。

(長崎屋には、守り神がいるのかあ……)

一太郎はそれを聞いて、天井や軒下を見上げてみた。時々そこに、小さな小鬼の姿が見えることがあるからだ。店の者らが小鬼について話しているのを聞いたことは無いが、長崎屋には数多《あまた》居ついている。一太郎は知っていた。

(ひょっとして、小鬼が守り神なのかな?)

どうも、そんなに凄いものには見えないが、とにかく人ではない。一太郎は以前祖父に、部屋に小鬼がいると言ったことがあった。祖父はちょっと驚いたような顔をしてから、笑って言った。

「ただの人でも小さい頃には、常ならぬものが見えることがあるよ。まあ、お前は……」

祖父はそこで話を終えてしまったが、『お前は』の続きは、何だったのだろう?

とにかく大人は大概、小鬼を見たりはせぬものだそうな。

だがそうはいっても小鬼等はちゃんといて、今日も長崎屋の母屋《おもや》の軒下から、こちらを見ている。目を凝《こ》らすと、小鬼たちはじっとしているのに、近くの障子に映った影が、勝手に動いているように見えた。

(変なの!)

一太郎は縁側に座ったまま、向かいの母屋を指さした。

「乳母や、あれ……」

小鬼を指さしたつもりなのだが、やはり、おくまには見えないらしい。ちょうど店奥の廊下を歩いて行く僧の姿があったので、おくまはその御坊《ごぼう》のことを口にした。

「あれが妖退治で有名な、広徳寺の御坊ですよ。急なご用で、お見えなんです」

先日祖父らが集まったという寺だ。

「飛縁魔が捕まったのかな」

「それがねえ、おいでになったのは別のご用事でです。あの日の会の後で、困ったことが分かったからなんですよ」

寺から大事な鏡が一つ、消えていたのだ。

広徳寺としては、たとえ金を出すことになっても、その品を取り戻したいらしい。それで盗品を買い取れと言ってきた者はないか、なんぞ聞いたことがないか、会に出ていた大店《おおだな》を、僧が尋ねて回っているのだ。

何となく、その話し方に妙な含みを感じて、一太郎はおくまに聞いた。

「お寺はもしかして、会に来た人の誰かが、鏡を盗《と》っちゃったって思ってるの？」

「寺は、そうは申されませんよ、勿論《もちろん》」

だが本心は疑っているのだろう。だからこうして、各店を回っているのだ。

「でも広徳寺へ行ったのは、大きなお店の人ばかりだよね。皆お金持ちなんでしょう？　鏡くらい欲しければ買えるよ」

「お金で買えないものってのは、世の中に多いんですよ」

おくまはあっさりと言って、こがし湯を淹《い》れてくれた。それを一口飲んでから、一太郎は話に納得して、こくりと頷《うなず》く。お金で何でも出来るのなら、一太郎はとっくに丈夫になっている筈《はず》だからだ。

それにしても寺の御坊があちこちへ捜しに行くとは、余程大切な鏡だったようだ。

「見つかるまで、お坊様、忙しいね」

もっとも御坊だけでなく、祖父も父も、大人はみな大忙しのようだ。少なくとも、一太郎と遊んではおられぬほどには忙しい。本当は乳母のおくまですら、仕事を一杯抱えているようであった。新しい店の用かもしれない。

だけど、おくままでが用で母屋に行ってしまうと、一太郎は離れで一人きりになる。これは寂しい。いやだ。

(だから、外に出してくれたらいいのに)

だがその時、一太郎は急にぱっと顔を輝かせた。庭に向かって手を振る。

「栄吉、こっちだよ」

一つ年上で今六つの栄吉は、近くの小さな菓子司三春屋の息子だ。一太郎の唯一《ゆいいつ》といっていい、親しい友であった。

最近あまり離れに来られぬ祖父が一太郎のために、三春屋から毎日お八《や》つが届くよう、手配してくれたのだ。店は目と鼻の先にあるから、大概は栄吉が持ってきてくれる。今日は珍しく、妹のお春を連れてきていた。

「柏餅《かしわもち》だよ。一太郎、好きだよね？」

言われて包みを受け取ると、柏の葉の良い匂《にお》いがする。一太郎はにこりと笑って、二人をお八つに誘った。

活発な栄吉は友達も多く、菓子を持ってきてくれても、毎日は長崎屋に残ってくれない。外で色々な遊びに誘われているからだ。

(一緒に遊びに行きたいよな。でも……無理なんだよね)

だからといって、栄吉を無理矢理引き留めたりするのは嫌だ。我《わ》が儘《まま》だと思うからだ。すると栄吉は直ぐに帰ってしまう事も多いので、一太郎の寂しさは募る。

(行っちゃうのかな。いて欲しいな)

(それを言ったら、栄吉が困る。駄目だ)

(でも寂しい)

(われは強い子だもん！　我がままなんか言わないんだもん)

ここ毎日、一太郎の気持ちの中で、そんな自問自答が繰り返されていた。

ところが今日は久しぶりに、栄吉はすぐ縁側に腰を下ろしてくれた。一太郎はにこにこしながら、柏餅を手に取る。おくまは三人にお茶を淹れてくれたあと、栄吉に一声かけた。

「ぼっちゃまの相手をよろしくね」

そうして用があるからと、急ぎ足で母屋の方へ行ってしまう。栄吉がその姿を目で追った。

「大人って、まるで駆け回っているみたいだね。最近はうちの菓子屋ですら忙しいんだ」

三春屋は小さな店だから、奉公人はいない。それで栄吉が妹の子守をしているらしい。

だがそのお春を見て、一太郎はちょいと首を傾《かし》げた。好物のはずなのに、お春は柏餅を食べないでいるのだ。

「どうしたの、お春ちゃん？」

お春は今日、どうにも元気が無いように見えた。栄吉が横で小さくため息をつく。

「あのさ……一太郎は、怖い噂を聞いてるか？　最近、奇妙なもんがこの辺に出るんだよ。お春はそいつを見ちゃって、怖がってるのさ」

「もしかして……飛縁魔のこと？」

日本橋で出たという妖のことかと聞いたが、栄吉はその話は知らないと首を振った。どうやら別口があるらしい。

江戸では、置いてけ堀とか送り提灯《ぢょうちん》とか、七不思議の話が有名だ。だが他にも、総身が毛だらけの河童《かっぱ》が現れただの、鵺《ぬえ》の声を聞いただの、怪異《かいい》が出たという噂は後を絶たなかった。

「障子にね、おかしな影が映るんだって。そいつは己で勝手に、動き回るっていうんだ」

栄吉が話すのを聞き、今まで大人しく座っていたお春が、怯《おび》えたように声を上げた。

「お兄ちゃん、影の話、しないで！」

噂話をしてると、影が近くの障子に寄ってきて、己の話に聞き入るのだという。子供らはみな、そう言っているらしい。

「怖いから、やだ」

お春は真剣に言う。一太郎は目を見張った。

（妙な話だなあ。みなには見えない小鬼の影でも、障子に映ったのかしら）

だがお春はめったに、この離れには来ない。ましてや他の子供らは来たことがないから、影の主が長崎屋の小鬼のはずはなかった。

「動く影、かあ」

一太郎はふと、気になることを思いだした。先程小鬼達の後ろで、勝手に動いている影を見たではないか。てっきり小鬼の影だと思っていたが、奇妙ではあった。

（もしかして、あれは……）

首を傾げていると、何だか背中の方がひやりとした。小鬼が見える一太郎は、他にも変わったものを色々見たことがある。ひょいと振り向いて、背中の方にある障子を見てみた。

「あっ！」

ちょうどお春の後ろにある障子に、何やら影が映っている。お春は大人しく座っているのに、そいつは動いていたのだ！

「ほえっ？」

びっくりして一太郎が出したその声に、兄妹《きょうだい》も振り返る。

「わっ、こいつっ」

影だけがお春の後ろから離れて、飛び上がるように動いた。栄吉が顔を強《こわ》ばらせ、さっと拳《こぶし》を振り上げる。すると影はたちまちの内に、障子戸の右側へ逃げ消えてしまったのだ。

後はただ、真っ白な障子が残っているばかり。一太郎は大きく息を吐《つ》く。栄吉もそれ以上どうしようもなく、拳を下ろした。

「今のが……噂《うわさ》の影だよ」

確かめるため周りを見回しても、三人以外は誰もいなかった。お春の手から落ちた柏餅が、庭に転がっている。お春は泣きそうな顔で震えていた。

「また見ちゃった！　奇妙な影がいた！」

栄吉が気味悪そうに、ぶるりと肩を振るわせ、妹に寄り添った。

「もう大丈夫だよ」

一太郎は盆から柏餅をもう一つ取ると、お春の手に持たせる。お春の震えが止まった。

「噂だとね、もっと怖い話があるの。あの影に捕まるとね、障子の中に引きずり込まれちゃうんだって」

お春が細い声で言う。さっき見た影も、前に引き込まれた者だというのだ。それで小さい子はみな、怖がっているらしい。

その話に、一太郎は一寸眉《ちょつとまゆ》を顰《ひそ》めた。影を見たとき、さほど怖くも感じなかった。だがあれは見かけより剣呑《けんのん》なのだろうか。

「そんなに危ないものにしちゃ、乳母やが騒いでないなぁ。うちの親も、何も言ってなかったけど」

いつもは心配性の塊なのにと首を傾げる一太郎に、栄吉が口をへの字にして言った。

「大人で見た人は、まだいないみたいだよ。お春が、影が怖いと言っても、おとっつぁんときたら笑ってるんだもの」

子供の見間違いだといって、取り合わなかったという。

「ひょっとして大人にはあの影、見えないのかもな。忙しいから見てないだけかな？」

栄吉は不満げに言う。

「でも思い違いじゃない！　おいらたちも今見たし、遊び仲間の間じゃ、そりゃ有名な話だもん」

子供の目にだけ見える怪異なのだ！

渋い顔つきで、栄吉は三つ目の柏餅を食べている。障子を睨《にら》んだ。

「近頃は遊んでても、みなびくびくしてる。何かというと影の話ばかりで、つまんなくってさ」

お春だけでなく、他にも怖がっている子供は多いらしい。影が怖いからと、影踏み遊びなど、やる子がいないという。〝子とろ〟遊びの最中に「影が出た！」などと、しようもないことを言い出す馬鹿《ばか》さえいるのだ。

「そりゃ大事だ」

そう言いながら、一太郎はようやく一つ目の柏餅の、最後の一口を食べきった。そのとき「実は」と言って、栄吉が切り出した。

「おいらさ、気味悪い影が何なのか、調べようと思ってるんだ」

とにかくまず、影の正体を知りたい。そして出来たら、そいつをやっつけたいと言う。

「そうしたら、みなはまた楽しく遊べる。お春も喜ぶ。でもさ」

横で栄吉が、口をゆがめる。

「どうやったらいいのか、おいらには分かんないんだ。さっき、この目で影を見たのに……やっつけるどころか、何も出来なかった」

影は、出たと思ったら直ぐに障子から姿を消し、もう現れなかった。大体、いつ奇妙な影に出会えるのかすら分からない。行き当たりばったりの運頼み。こんなことでは影は退治出来ないと、栄吉はこぼす。

「退治……？」

その時、横で話を聞いていた一太郎が、急に目を輝かせた。心の臓がどきどきと打つ。その音が、己の耳に聞こえてきそうであった。

「あのぉ、栄吉。良かったらわれも一緒に、影を捜そうか」

それはとても良い考えに思えた。分からない物を捜すのは、判じ物みたいに面白いに違いない。久しぶりに栄吉や近所のみなと、沢山《たくさん》喋《しゃべ》ったり、一緒に動き回ったりできるのだ。

「こう見えても考え事は得意だもん。影をどうしたらやっつけられるか、そのうち分かるかもしれない」

しかし一太郎の申し出に、栄吉とお春が顔を見合わせる。

「それは助かるけど……おくまさんが一太郎を、外に出してくれるのかい？」

この問いには返事に詰まる。だが……どうしても、ここで引き下がるのは嫌だった。

「なんとかするよ。それに……さっそく思いついたことがあるんだ」

そうと聞いて栄吉の目が輝く。三人は縁側で顔を寄せ、おくまには聞かせられない相談を、こっそりと始めたのだった。

2

翌日、三春屋からの菓子は、長崎屋の離れに届かなかった。栄吉は確かに一太郎に、茶饅頭《まんじゆう》をどっさりと渡しはした。だがそれは一太郎と共に、横手の木戸からこっそりと、長崎屋を出て行ってしまったのだ。

「大丈夫かい？　きっと後で叱《しか》られるよ」

栄吉はまだ心配している。だが一太郎は、久しぶりに付き添い無しで外に出たものだから、嬉《うれ》しさで一杯だった。ぴょこぴょこ道で跳ねてから、栄吉に笑いかける。

「そりゃきっと怒られるよ。でも心配ないのに。近所で遊んでいるみなの所へ、行くだけだもの」

一太郎と栄吉は妙な影について、まず子供らから詳しく聞き、影への対策を練ることにしたのだ。それで京橋の先、表長屋の路地にある、栄吉の仲間のたまり場へ向かっていた。二人で道々茶饅頭を食べながら、一太郎は昨夜考えついたことを栄吉に話す。

「まずはさ、あの奇妙な影が何かってことだけど」

捕まると、障子の中に引きずり込まれると噂の影。そんな恐ろしいものなら、古《いにしえ》にもこの世に姿を現しているかもしれない。一太郎は、それなら本に載っているかもと思いついた。

「だからお祖父《じい》様のご本を、何冊か調べたんだ」

「一太郎、もう字が読めるの？」

「うん。だって寝付いてばかりで、そりゃあ暇なんだもの」

外に出られない一太郎は、早々に字を憶《おぼ》えて、寝ながら本を楽しんでいる。祖父の伊三郎は、じきに娘夫婦に家を譲って隠居をする算段とかで、老後の楽しみに本を集めていた。それを読ませてもらっているのだ。

その内の一冊を、一太郎は袖《そで》の中から取り出し開いた。

『今昔百鬼拾遺《こんじやくひやつきしゆうい》』

「わあ、難しそうな本だね」

「絵が一杯だよ。ほら栄吉、ここ見てよ」

二人は歩を止め、大きな通りに出るすぐ手前の路地で、ある項を見入った。そこにある絵には大きく、庭の見える部屋が描かれていた。障子の上には、植えてある松の影と、女の影が映っているように見える。

だが絵には、影を落としているはずの人の姿がなかった。側に説明があり、一太郎がそれを読んだ。

「この影は『影女』といって、妖《あやかし》なんだって」

つまり、この世の常から外れたものの一つという訳だ。

「障子に現れる妖の影！　今度の不思議と、そっくりじゃないか」

栄吉が大きく頷《うなず》いている。

「似てる。うん、きっとこれだよ。おいらたちが見たやつだ。間違いない」

妖かぁ、凄いやあとつぶやいたあとで、栄吉は矢継ぎ早に、一太郎に質問してきた。

「どうしてこの影女が、この辺りに出たのかな？　どこらへんに出る妖か、本に書いてないかい？」

「ううん。障子なんて、どの家にもあるもんだし……決まっていないかも」

「こいつは子供を襲うのか？　他に何て出てる？」

栄吉は少しひらがなを憶え始めたところで、まだ本はうまく読めないのだ。一太郎はこの問いにも、首を振った。

「それがさ、この影は、問えば答えるみたいだけど……それ以外は何も書いてないんだ」

「怖い奴《やつ》だあ、とかいう説明はないの？」

「ない」

二人は顔を見合わせると、小さくうなり声をあげる。影の妖など、今まで知らなかったくらいだから、そう種類がいるとも思えない。だが影女は、さほど恐ろしきものとはされていないようだ。障子の中に引っ張り込まれるなどとは、全く書かれてない。

「変だよね。あの影は影女じゃないのかしら。それとも影に引っ張り込まれるという話の方が、ただの噂なのかな」

目当ての路地に、じきに着くというところで、二人は考え込んで先に進まなくなってしまった。まだ昼八つになったばかりで、周りでは子供らが、元気よく遊び回っている。

「……とにかくみなの所へ行ってみる？　聞きたいこともあるし」

直ぐに立ちっぱなしに疲れてきた一太郎が聞くと、栄吉も顔を上げ頷く。二人で広い道に向かおうとしたちょうどそのとき、道の先で騒ぎが起こった。

「出たっ！　お化けっ」

大声が響いた。それと共に血相を変えた子供らが、路地から大通りへ飛び出してくる。

「こらっ、危ねえぞっ」

大人が止めても、どうなるものではない。いきなり道を横切ったものだから、子供の一人がぼて振りに突き当たる。もう一人は、己から大八車の前へ飛び込んでしまった。

「何やってんだっ！」

たちまち荒らげた声が飛ぶ。無理もない話で、大八車の荷が崩れ、それに押しつぶされたら、子供なぞ簡単に死んでしまう。道にひっくり返って呆然《ぼうぜん》としている子を、周りにいた人足が帯紐《おびひも》を摑《つか》んで起こし、さっと怪我《けが》が無いかを調べた。

だがそれで大丈夫と分かると、「この馬鹿が！」という短い声と共に、子供はばしっと尻《しり》を引っぱたかれる。大声で泣き出した五つほどの男の子は、必死に一太郎達がいる路地へ逃げ込んできた。

「お化けに驚いたのか？　昼間っから出てくる暇な化けものはいねえよ」

子の後ろから、笑いを含んだ大人の声が聞こえてくる。だが路地に集まってきた子供達は、誰も笑ってはいなかった。

「知らないくせに」

みなで表通りを向き、大人達を睨んでいる。その一団に、栄吉が声をかけた。

「長吉《ちょうきち》、また影が出たのか？」

その一言で、栄吉が来たと知った遊び仲間が、我先に話し始める。短い着物を紐で締めた者や、腹掛けだけの子供らだ。八人ほどいた。

「さっき、八百屋の障子に動く影が映ったってさ。誰かが引っ張られるぞって大声出して、それで……」

「昨日は隣町の松屋の障子で、影が踊ったって聞いたぞ」

「あたい大和《やまと》町の湯屋で、その話を聞いたの」

「おいら、小間物屋の子に影のことを聞かれたぞ。怖いって噂《うわさ》は本当かって」

半泣きなのは、道に飛び出して叱られていた、三太《さんた》という男の子だ。そのとき、一太郎がみなに聞いた。

「この中で本当に影を見た子、いる？　それとも影が出たって声を聞いただけかな」

三太が一太郎の方を見て、顔を睨み付ける。

「栄吉、誰だぁこの子。知らないよ」

「一太郎だって。ほら随分と前だけど、遊んだことあるだろ？　目隠し鬼をしてるとき、ぶっ倒れた子だよ」

「ああ、あの弱っちい子」

みなが頷く。憶えてくれていて話しやすくなったが、何とも情けない言われ方だ。

「あのさ、われと栄吉も、昨日影を見たんだ」

だが一太郎のこの一言で、子供らの表情が変わった。同じ妙なものを見た者同士、仲間という感じになったのだ。

「それでさ、栄吉は影の正体を突き止めて、退治したいんだって」

こう話すと、みなが驚いた顔を栄吉に向ける。そいつは凄《すご》いという。だが、そんなことをするのは怖いとも言う。何となく腰が引けている子供らに、一太郎が切り出した。

「でね、考えたんだ。とにかく何で影が出るようになったか、まず知った方がいいって」

確かに怖がっているだけでは、遊ぶのにも不便だ。

「ならば、噂の元を辿《たど》ろうと思ってさ」

「噂の元？」

この言葉に、子供らは首を傾《かし》げている。意味が良く分からないからだろう。一太郎が説明した。

「つまり、妙な影の噂が最初に出たのはどこか、調べるの。すると怪《あや》しが初めて現れたところが、分かるはずだよ」

河童なら住んでいるお堀がある。幽霊なら墓や死んだ場所に出るだろう。怪しの影にも関わりのある場所があるはずだ。そこが分かれば、そいつが何者か知れる。どう対処すればいいか分かるだろう。

「なるほど」

みな頷いている。怖がるだけでなく、何となく興味が湧《わ》いてきた様子だ。

「影が現れているのは、ここ何日かだよ」

まず長吉が言った。つまり影を呼ぶことになった出来事は、最近起こったのだ。

「それで、どうやって調べるんだ？」

「みなの力を借りたいんだけど」

一太郎の答えに、遊び仲間連中の顔が輝く。みな、四歳から六歳くらいだ。言いつけられるのではなく、真面目《まじめ》にものを頼まれたのは初めてなのだろう。

一太郎がやり方を話した。

「二人一組で、怖い影の噂を追いかけるんだ」

「……？　どうやって？」

栄吉が真っ先に首を傾げた。形のないものと、鬼ごっこをしたことはない。

「みな、影の噂は聞いているよね」

その噂を誰から聞いたか、いつ聞いたかを確かめながら、逆さまに人をたどっていくのだ。そうすれば、より古い噂へ近づく。

「じきに、一番古い影の噂がどこから出たか分かるよ」

みなから、おおっと声が上がった。いつのまにやら一太郎は、みなに囲まれていた。

「すげえや。そんなやり方、あるんだね」

褒められて一太郎は却《かえ》ってびっくりし、目を丸くした。みなで遊んだことすら少ないのに、一斉に褒められた覚えは無い。何となく恥ずかしい。でも嬉しい。一人おろおろしている横で、仲間たちはさっさと、一緒に聞いて回る相手の組み分けを始めた。

「一太郎はおいらとだ」

栄吉が手招く。急いで側《そば》に寄った。頭で考えるのは得意でも、実際に外を歩いたことはほとんど無い。これからは栄吉が頼りだ。

子供らの中で一番年かさらしい長吉が、五つに分かれた組に、一言釘《くぎ》を刺す。

「気をつけろよ。影が人を捕まえるって噂もあったんだ。怖いと思うことがあったら、さっさと逃げろよ」

みな真剣に頷く。そして一斉に、あちこちの路地へと散っていった。

「寺子屋の一助《いちすけ》の友達、留《とめ》から聞いた。留は、同じ長屋の新《しん》から教えてもらったんだよ」

「おいら、姉《ねえ》ちゃんから聞いた。姉ちゃんは鈴木町の寺子屋で聞いたって」

「影の噂？　畳町の金松《かねまつ》に聞いたんだよ」

3

「おいらが聞いたのは、岩倉町の松次郎《まつじろう》からだ」

松次郎はお信《しん》から聞き、お信はおしなから、おしなは数寄屋《すきや》町の寺子屋からと、話は巡り、なかなかややこしい。一太郎と栄吉は話が示すままに、ぐるぐると細い路地を歩き回った。

途中仲間と、ばったり出くわすこともあった。そういうときは、互いに話を教えあったりする。長吉が、油売りの父親と出くわして、どこで遊んでいるんだと驚かれたらしい。

先へ先へと進んだ。だが一時《いっとき》経《た》ち、更に歩いていると、一太郎はへたばってきた。こんなに長く歩いたことは、無かったからだ。

少し休んで、また歩く。また休む。もう一度休む。道端にいた水売りから水を買って、一息ついたとき、さすがに栄吉の方が音をあげてしまった。

「一太郎、後はおいらが調べるから、店に帰っちゃあどうだい？」

「……もうちょっと休んだら、歩けるから。だから連れてってよ」

「そう言って、さっきから休んでばかりだ。これじゃ調べが進まないよ」

栄吉とて、大分我慢して一太郎につき合っていたのだろう。少し、じれたような顔をしている。じきにため息をつかれてしまった。

「長崎屋にお帰りよ。一人で帰れるだろ？　送らないと駄目かな？」

たった一つしか違わない栄吉にそこまで心配されて、一太郎は泣きそうになった。

今度こそ、みなといられる、役に立てると思っていたら、またこの始末だ。

だがここで泣いたら、栄吉に二度と誘ってもらえない。そんな気がして、一太郎はぐっと涙をこらえた。

「……もう少し、ここで休んでいく。栄吉は行っていいよ」

「具合が悪かったら、駕籠《かご》屋《や》に行くんだよ。長崎屋さんなら、一太郎が駕籠を使っても怒らないだろう？」

栄吉はそう言うと、もう一度大丈夫か念を押してから、日本橋の方へ歩き出してしまった。一人残った一太郎は、道端にしゃがみ込んで、その後ろ姿を見送るしかなかった。

どう考えても、さほど遠くない長崎屋へ帰るのに、駕籠など頼む気にはなれなかった。しかし水売りの所から歩き出していくらもしない内に、一太郎はぐったり疲れてきて、また立ち止まってしまった。

(われって、本当に役立たずだ……)

気持ちが萎《な》えると、歩く気にもなれない。道端に茶を出す屋台見世《やたいみせ》があり、床机《しょうぎ》を三つほど並べていたので、そこに座り込んだ。

ろくに外に出ず使うあてはないのに、小遣いだけはたんと貰《もら》っていたので、こういうときは助かる。小さな一太郎が一人前に銭を出すと、見世の若い娘は笑って茶を運んでくれた。

袖《そで》の中に残っていた三春屋の茶饅頭《まんじゅう》を見つけ、包みを床机の上に置き、もそもそと食べ始める。疲れていて甘い物は嬉《うれ》しい。だが、とても気が沈んでいた。

(ろくに歩けもしないなんて！　多分われは、大きくなれずに死んじまうんだ)

きっとそうに違いないと思う。もう五つだというのに、同じ歳《とし》くらいの他の子らと比べ、この身は余りにも情けない。これでは怪しの影を調べるどころか、ただ生きていくことすら、おぼつかない。

ぽろりと涙がこぼれた。

それが悔しくて嫌で、慌《あわ》てて拭《ぬぐ》う。役立たずの上に、泣き虫だなんて我慢出来ない。いくらなんでも、みっともないではないか。

（これじゃあ、栄吉が呆《あき》れて行ってしまうのも、無理ないや）

深く息をついた。とにかく今日の冒険は、これで終わりとなったようであった。

しばしぼうっとしていたあと、一太郎は懐《ふところ》から、日頃書き付けにしている紙の束と矢立《やたて》を取りだした。筆も入れ物も、祖父が特別に小さくあつらえてくれた品だ。今日歩いて回ったときの話を書き留めていく。こうしておけば後で寝付いたときでも、今日の思い出に読み返す事ができるだろう。

（栄吉と共に、畳町、鈴木町、岩倉町、それと数寄屋町の寺子屋などを回る。それぞれに奇妙な影の噂有り、と……）

そのとき一太郎は頭の中に町の位置を思い浮かべ、ふと首を傾げた。

（あれ？）

行きつ戻りつ歩いているときは、噂はこんぐらがっているように見え、分からなかった。だが改めて書き留めてみると、見えてきたことがあったのだ。

(通ってきた町々は、ほとんど通町の大通りに沿った所にあるよね)

もう一度その位置を思い浮かべ……紙を睨《にら》む。考え込みながら、横に置いた囓《かじ》りかけの饅頭に手を伸ばし……驚いた。饅頭が無い！

「食べかけのやつ、貰ったよ。おいしいね」

その声に、驚いて床机の後ろを向くと、仲間の長吉が立っていた。囓った饅頭を更に半分にして、連れの子と分けている。

「まだ幾つもあるから、一つずつ食べればいいのに」

そう言うと、長吉は嬉しそうにもう一つ取って、また半分ずつ分けて食べている。

「栄吉は？」と聞かれたので「先に行った」と言うと、あっさり頷《うなず》いた。

「一太郎は、聞き集めたことを書いているのか。何か分かった？」

「うん！　今、分かったんだ。影の噂は、北から南へ伝わってきたと思う。話の元は、北の方にある。きっとそうだよ」

一太郎等は噂をたどり、南から北の町へ移動していたのだ。これを聞いて、長吉が大きく頷く。

「そう言われりゃ、そうかもな。おいらたちもさっきから、少しずつ日本橋の方へ近づいてるよ」

最初みなで集まったのは、京橋から少しばかり南よりに行った先だった。それが話を集めている内に徐々に北に戻り、長崎屋の前を通り越し、大分来ている。

「あんまり遠くへ行くと、迷子になりそうだね。とにかく今日は、日本橋から北へは行かない方がいいと思う。みなに会ったら、そう言ってくれない？」

「そうだよな。ちいちゃいやつもいるし」

六つの長吉は、年長ぶった言い方をする。そうしている内に、別の一組が一太郎達を見つけて、近づいてきた。聞いてみればこの組も噂をたどっていく内に、この辺りに着いたらしい。一太郎は、みなに話を聞かせて欲しいと頼んだ。

「ここにいない組の話も、書き留めておきたいよ。あとで聞かせてもらえるかしら」

「残り二組だろ。どうせ似たり寄ったりの場所を歩いて、今この辺に来てるに違いないや。そこらにいないか、ちょいと見てくるよ」

長吉達は小半時で屋台見世に戻ってくることを約束して、ぱっと辺りに散った。その見当に間違いはなく、約束した程の時をかけることもなく、仲間を連れ戻ってくる。

一太郎は全員の茶代も出して、通りの床机に座って貰った。誰も見世の床机などに座ったことがなく、緊張した顔となる。その子供らに、綺麗《きれい》な見世の娘は、にこにこと笑いながら茶を出してくれた。

みながたどった道は、一太郎達と似たり寄ったりだった。だが最後の一組、三太達だけは違った。

「一人の子が、たまたま日本橋の親戚《しんせき》から話を聞いてたんだ。それでおいら達、大通りを突っ切ったんだよ。そうしたら日本橋辺りじゃ、影女のことを直《じか》に見たって子が、大勢いた」

その話に勇み立ち、三太達は思い切って橋を越えてみたのだ。ところが日本橋の向こうに行くと、噂はすぐに消えていった。

「よく調べたね。ということは、噂の元は日本橋近くだね」

一太郎がにこりとする。でも、と、三太は顔をしかめた。

「影に、障子の中へ引き込まれたという噂は、あの辺では全く聞けなかったよ」

一太郎は長吉や三太と顔を見合わせ、首を振った。

「あのね、消えたと噂の人が、本当に障子の中に引っ張り込まれたわけじゃないと思うよ」

一太郎は言う。そうした怪異があれば、もっと大騒ぎになっているはずだからだ。よみうりだって出ただろう。大人が影女のことでも、騒いだはずだ。

しかし祖父等が問題にしていたのは、飛縁魔のことだけだ。

「でも考えてみれば変なの。飛縁魔は日本橋辺りに出たと聞いたよ。なのにみな、その噂は聞かなかったんだね」

「飛縁魔？　何、それ」

仲間達は首を傾げている。本当に不思議なほど、飛縁魔のことは何も聞こえてこない。そしてみなが気にするのは、影女のことであった。飛縁魔のことは、直《す》ぐに話から消えた。

「これからどうする？　日本橋へ、みなで行ってみるかい？」

三太がそう言い、今にも道の向こうへ駆け出しそうになる。それを長吉が止めた。

「今日はもう止せよ。ちびどもが眠たそうな顔してるぞ」

見れば何人も、床机の上でとろんとした顔つきになっている。ずっと歩き通しだった上、人に噂を尋ねて回ったので、疲れたに違いない。

「そうだね、今日はそろそろ帰ろうか」

一太郎が言いだし、みなもあっさり頷いた。床机から立つと、大きな通りを揃《そろ》って歩く。三太がにやりと笑って言った。

「なかなか面白かった」

長吉も頷く。誰もがてんでに今日の話を始め、一太郎は楽しくそれを聞いていた。さっきまでべそをかいていたのが、嘘《うそ》のようだった。

4

一太郎は夕餉《ゆうげ》の前に、離れに戻った。帰りに気持ちよく話せたせいか熱が出ておらず、ほっとする。

その上店の方がざわついていて、忙しい親にもおくまにも、外出がばれていなかった。おかげで一太郎は叱《しか》られずに済み、これも嬉しい。

夕餉を家族と食べているとき、祖父が話をしたので、店で何があったか分かった。どうやら先に広徳寺へ集まる元となった、飛縁魔の話の続きが、店から店へ伝わってきたらしい。

「あの後、広徳寺の御坊が鏡のことで、各店を回られた。そのときに飛縁魔のことで、分かったことがあったんだよ」

祖父は膳《ぜん》を前に、何となく不機嫌そうな顔で話している。食事のとき、そんな顔をするのは珍しいことであった。

「飛縁魔の話を持ち出したのは、煙管屋《きせるや》田村屋主人の弟なんだ。いや、庄七《しようしち》さんは大《お》真面目《まじめ》だったようなんだが」

だが子細が分かってみると、それは単に怪異を見たという話ではなかった。その本当の理由が頂けない。庄七が飛縁魔と言った女は、実は兄嫁のことらしい。最近後妻に入った兄嫁を、庄七は妖《あやかし》だと言い張って聞かないのだ。何でも、人らしからぬ奇妙な兄嫁の影を見たのだという。

「庄七さんは、出自の不確かな兄の後妻を、気に入ってないらしい。そのせいで、影が変に見えてしまったのではないかね」

兄にもその影の話をしたらしいが、目の迷いだと全く聞いて貰えぬ。それでも庄七の、兄嫁への疑いは収まらない。思いあまった庄七は、飛縁魔の話を余所《よそ》で言い立て騒いだのだ。おかげで心配した大店《おおだな》の店主等が、揃って広徳寺へ行くことになった。

あらぬ騒ぎが起こり、いたたまれなくなったのか、田村屋の後妻は子を残して家を出たらしい。一太郎の父、藤兵衛《とうべえ》はこの話を聞き、茶碗《ちやわん》を持ったまま眉《まゆ》を顰《ひそ》めた。

「それは不味《まず》い。田村屋さんの後妻は確か、お美津《みつ》さんですよね。元々田村屋さんのおめかけだった人です。連れて入った娘さんも、田村屋さんの実のお子だ」

それを妖だなどと妙なことを言い、主《あるじ》の弟が無理に追い出したのでは、財産目当てと言われかねないと藤兵衛は言う。

「庄七さんには、養子の話もあると聞くのに、いただけないことだよ。おまけにこうなると、寺の鏡を持ち出したのは、庄七さんとしか思えない。飛縁魔を見破るとか言ってね」

飛縁魔の噂《うわさ》を立て、広徳寺へと行ったのも、兄嫁の正体を暴《あば》きたい一心からだったようだ。この話に、一太郎は一寸《ちょっと》、汁椀《わん》を持つ手を止めた。どうして飛縁魔を見破るのに、広徳寺の鏡を持ち出さねばならないのだろうか。

(田村屋さんにも、鏡くらいあるよね)

しかし、祖父はその説明はしなかった。

庄七は兄に問われても、広徳寺の鏡は持ってはいないと言っているそうな。庄七が盗《と》ったという証拠がある訳では無いから、話が進まない。事を穏便に済ませたい田村屋では、弟の強情に頭を抱えているという。

(飛縁魔……妖だよね)

一太郎は小鬼を捜して、天井の隅を見てみた。本当に、妖が子供のお母さんということが、あるのだろうか。父は嘘だと思っているようだが、物語の中には、そんな話もあった気がする。第一、小鬼はこの世にいる。本当に妖はいるのだから。

（なら、不思議とは言えないよね……）

それでも庄七さんという人には、それが許せなかったのだろうか。田村屋の話はここで終わり、後は一太郎に一つの疑問を残して、穏やかな話題へと移った。

（広徳寺の鏡は今、どこにあるのかしら。お兄さんが店の主人なんだから、庄七さんのお部屋くらい、捜したよね）

己の部屋に隠せない大事なものを、一体どこに置いたのか。分からないことは、毎日の中に一杯、転がっているようだ。

しかし飛縁魔のことばかりは考えていられない。一太郎達の考えるべき問題は、影女であった。この夜、一太郎は一生懸命食べ、早めに離れで床についた。明日も出かけて、みなと会う約束だからだ。影女のことを調べるのだ。

だがそういう日に限って、一旦《いったん》寝た後、離れへ来る足音で目が覚めた。隣の部屋でおくまが、障子を開け応対している。小声での話が聞こえた。一太郎は寝ているかと、聞いている様子だ。

すっかり目が覚めてしまった一太郎は、夜着《よぎ》の下から這《は》い出て襖《ふすま》を開け、行灯《あんどん》がついているおくまの部屋へ顔を出した。

「あれ、ぼっちゃま。寝てらしたんじゃないんですか」

「目が覚めた。どうしたの?」

この時一太郎は、離れにやってきたのが、近くの菓子司三春屋の主人夫婦だと知った。月明かりの中庭に、両親の姿もある。

「夜にすみません、ぼっちゃん。だが……栄吉がこんな時刻になっても、帰って来ないんで」

この一言で、ぽかりとぶたれた気分になった。ぼんやりしていた頭がしゃきりと覚める。

「……帰ってない?」

「昼間、こちらへ菓子を届けにいくと出たままなんで。てっきり遊んでいるとばかり思ってたが、夕餉の時刻になっても姿をみせねえ」

三春屋は今まで、他の心当たりを捜していたのだろう。心配げな顔をしている。

「一太郎、今日栄吉坊に会ったかい?」

父の問いに頷いた。

「お八つを持ってきてくれたの。それから一緒に、通町の大通りへ行った」

一太郎が外出をしたと聞いて、おくまが驚いた顔をしている。

「栄吉とは少し北の、数寄屋町のあたりで別れたの。われがくたびれて休んでばかりだったから。栄吉はその先へ、一人で歩いていった……」

更に北に向かったのだ。だがあの場所は、長崎屋から大して離れてはいない。それに路地へ入り込み、くねくねと歩き回ったからくたびれもしたが、大通りへ出れば長崎屋までは一本道。迷うこともないはずだが。

「……栄吉、どうして帰ってこないの？」

一太郎ならともかく、栄吉は元気に毎日遊び回っているから、結構遠くまで行ったことがあると聞いていた。この辺りの道には詳しいはずだ。

（それなのに……）

急に不安になってきた。

「見つけに行く」

一太郎が縁側に出ようとするのを、父の藤兵衛が止めた。これから大人達がまとまって、栄吉を捜しに出るという。子供が交じったのでは却《かえ》って足手まといであった。

「見つかったらちゃんと知らせてあげるから、一太郎は寝ておいで」

「ぼっちゃんは親御に心配をかけちゃあ、駄目ですよ」

三春屋の主人はそう言ってから、提灯《ちょうちん》を持ち直し、暗い木戸の方へ向かう。手代達も出てきて、藤兵衛の後に続く。一緒に栄吉を捜しに行くのだろう。一太郎は心配を抱えたまま、ここでも役に立たない。

（だけど……このままじゃあ）

おくまに寝床に追いやられたとき、不安だからと、常夜灯の有明《ありあけ》行灯を点《つ》けてもらった。ふすまが閉まって暫《しば》くしたあと、一太郎はまたこっそりと、夜着の下から這い出した。書き付けと矢立、それに祖父の本を掴《つか》みだし、行灯の明かりも引き寄せる。

（昼間みたいに、泣きべそかいてちゃ駄目だ。栄吉が、ただ迷子になったとは思えないもの。きっと今、困ってる。助けたいなら考えなきゃ。真剣に考えなきゃ！）

それが己の役割なのだと一太郎は思った。歩き回れないなら、出来ることを捜すのだ。

（そりゃ大人の方が物知りだ。けど、われは栄吉と仲が良いし、一緒にいたんだもの。きっと思いつくこと、あるよ）

一太郎は昼間書いた書き付けを、必死の思いで見た。影女のことが書いてある。これを調べている途中で、栄吉はいなくなったのだ。

（ということは、影女が栄吉を障子の中に連れて行っちゃったのかな）

一太郎は離れで見た、あのおかしな影のことを思い返してみる。しかし。

（そんな気はしない……今でもあの影が怖いとは思えないや）

一太郎は有明行灯の脇《わき》にちょこんと座り込んで、唇をすぼめた。

あのとき障子の中で、影はただ動いていただけであった。たった六つの栄吉が拳《こぶし》を振り上げただけで、影は障子の中から逃げてしまった。どう考えても弱い。影女は、長崎屋の軒下にいる小鬼達と似ている気が、一太郎にはしていた。

(小鬼ってさ、不可思議なものだ。妖だよね。けど……だけどなあ、そこにいるだけなんだもん。怖くない)

もちろん世の中には、恐ろしい妖などもいるらしい。だから広徳寺で、御坊が妖退治をしているのだ。

(影女は見た目と違って怖い妖なのかな。夜になると怖くなるとか)

しかし夜は影が障子に映ったりしない。日が出ていないからだ。一太郎は顔をしかめ、影女についてもっと書いてないかと、他の本を読み始めた。

(居場所について、出ていないかしら。お寺のお堂に巣くうとか、いつも橋のたもとにいるとか、どこかにないかなあ)

だが、それは勝手な注文というもので、他には、影女の字すら出てこない。それでも一太郎は、せっせ、せっせと調べ続けた。

そして。

「あれ、これは……鏡？」

ある本の中にあった絵を見て、一太郎は目を見開く。本の中に挿絵《さしえ》として載っていたのは、なかなかに立派な鏡であった。

「これ、妖について書かれた本だよね」

表紙を見てみる。間違いはなかった。つまり鏡の妖というものが、いるらしい。

「そうかぁ。広徳寺で盗まれた鏡って、ただの鏡じゃないんだ」

妖絡《がら》みの品だったのだ。一太郎は本の説明文を読んだ。

「雲外鏡《うんがいきょう》っていう名前かあ」

それは照魔鏡《しょうまきょう》とも言われ、妖や魔物の正体を見破って、映し示すものであった。妖がいかにうまく化けようとも、この鏡はその本来の姿を映すのだ。鏡自体、これも常からは外れた品であった。

「明鏡《めいきょう》……」

祖父が、庄七が鏡を盗んだと思っていた訳が分かった。庄七は兄嫁が飛縁魔だと、疑っていたからだ。雲外鏡に映った妖は、正体を現す。きっと鏡に、兄嫁を映してみるつもりだったのだ。

だからこっそり寺から鏡を持ち去った。しかし、兄嫁は早々に家から出てしまった……。

「でもそれならもう、雲外鏡は必要ないよね」

もう兄嫁はいない。なのにどうして庄七は、今も鏡を持っていないと言い張っているのだろうか。

「盗んだと思われるのが嫌だったのかな。でもそういう鏡なら、広徳寺は諦《あきら》めないよね。返して謝った方がいいのに」

大体、これだけ寺が捜している鏡を、どこに置いてあるのだろう。もしかして、普通の鏡のように堂々と部屋に置いて、誤魔化《ごまか》しているのだろうか。それにはちゃんと、物が映るのだろうか。

「いや、鏡のことを考えている場合じゃない。今大事なのは影女のことだもの。映す鏡じゃなくて、映る影が肝心……」

この時！　一太郎は本を前に、大きく目を見開いた。

「あっ、そうか！」

一声短く叫ぶ。影女は元々、日本橋に出ていた。日本橋には田村屋がある。田村屋の庄七は、雲外鏡を盗ったと言われている。

「影女が急にあちこちに出た理由は、これだ。この鏡！」

一太郎は鏡の絵に見入った。庄七は盗んだこの鏡を、どこぞの部屋に隠したはずだ。

「どこの部屋にも、障子はあるもの。もしその障子の前に、雲外鏡が置かれたとしたら！」

照魔鏡と影女！　妖同士が近くに置かれ、それでどう反応したのだろうか。

「喧嘩《けんか》したかな？　ううん違う。だって、こんなに影女が、あちこちに現れたんだもの」

影女は今、元気一杯だ。見たこともないくらい、どっさり現れている。二つの妖は出会って、お互い大いに元気になったみたいだ。

「これだ。妖同士が会っちゃったからだ。それで影女が障子に現れたんだ！」

一太郎は大きく頷《うなず》いた。

「そうすると、影女に捕まって消えたという噂のお人は、田村屋を出たおかみさんかな。家からいなくなったんだもの。じゃあ……影女の噂を追いかけていった栄吉は、今どこにいるのかしら？」

肝心なことが分からない。一太郎は真剣な顔をして考え込んだ。だが夢中でそうしていたので、襖が開いて、おくまが寝間に様子を見に来たことに気がつかなかった。

「ぼっちゃま、栄吉さんのことが気になるのは分かります。でももう寝なくては」

おくまはきっぱりと言うと、本を取り上げ有明行灯も消してしまう。真っ暗な中で布団《ふとん》に入れられ横になっていると、昼間歩き回った疲れが、どっと出てきた。

(栄吉は今日、ご飯食べたかな)

心配しているのに、一太郎はどこかへ落ち込むように寝てしまった。ただ夢をみた。その中で栄吉は、何故《なぜ》だかひたすらに困っていた。

5

翌日の朝になっても、栄吉の行方《ゆくえ》は知れなかった。

大人達は一層忙しそうにしている。手分けして、栄吉のことを聞いて回っているようだった。

ともかく今日は一太郎も、栄吉を捜しに出かけるつもりだ。朝餉《あさげ》の後、忙しいおくまの目が離れたのを幸い、今度は一人で京橋の先まで歩いて行く。長屋脇の路地にある小さな稲荷《いなり》の脇で、一太郎は約束通り、長吉たちと出会うことが出来た。

「栄吉が、昨日から行方知れずなんだ」

まず口にしたこの話に、集まった子供らは驚きの声を上げる。

「影女に捕まっちゃったんだ！　調べられたのが、気に入らなかったのかな」

三太が上げた声が震えている。その言葉を、一太郎はきっぱりと否定した。

「そいつは違うよ。だったら全員が捕まってるって。それに今度のことには影女だけじゃなく、雲外鏡が関わっていると分かったんだ」

突然現れた難しい名前に、みな目をぱちくりとしている。一太郎は雲外鏡の説明から始めて、昨夜思いついたことを一通り話した。

だが話を聞いても、集まった小さい面々は、どうも変な顔をしている。長吉がぺろりといった。

「よく分からないや……でも、怖い話じゃないなら、いい」

一方一太郎も、栄吉の行方をどうやって調べたらよいか、考えあぐねていた。一寸《ちよつと》、子供らの声が途切れる。だが意外とすぐに、三太がこの沈黙を破った。

「とにかく昨日決めた通り、一回日本橋の辺りへ行ってみたらどうかな」

栄吉は昨日、通町を北へ向かったのだから、きっと日本橋へ行ったはずだ。

「そうだよね、日本橋でまた噂《うわさ》を拾えば、何か分かるかもしれない」

一太郎も頷き、一同は揃《そろ》って通町を北へと向かった。

今日は人通りの多い大通りを、真《ま》っ直《す》ぐに歩く。途中、三太は大根、牛蒡《ごぼう》、人参《にんじん》を売る前栽《せんざい》売りの父親と出会った。女の子のおとせは、ぼて振りで、魚を商う叔父と出くわした。小さな子がこんな所まで来たのかと、いい顔をされなかったので、みなで大急ぎで逃げ出すように道を急いだ。

「なんだか、知り人によく会う日だね」

一太郎は苦笑していたが、いざそれが己のこととなると、笑うどころではなかった。日本橋が近くなると、噂の田村屋の紺暖簾《こんのれん》が見えてくる。するとそこに、一太郎がよく知った顔が立っていたのだ。

「これは、一太郎ぼっちゃま!」

驚きの声をあげたのは、長崎屋の小僧であった。その声を聞きつけ、直ぐに店から出てきた者がいる。なんと祖父であった。

「一太郎! どうして日本橋にいるんだね」

小さな子供らが集まっているのを見た祖父は、栄吉を捜しに来たのだと察したらしい。祖父達もここいらを捜しに来たのだ。もしかしたら日本橋にある田村屋に、協力を頼んでいたのかもしれない。

その時祖父の後ろから、顔色の悪い男が顔を出してきた。田村屋だという。

「子供達、歩いてきたのなら、小さな女の子が一人でいるのを見なかったかい? うちの子で、おのぶと言うんだが」

「今日は大きな通りを真っ直ぐに歩いてきたから、子供はあまり見なかった」

一太郎が正直に言うと、田村屋は落胆したような顔をしている。どうやら田村屋は娘を捜しているらしい。

「どこぞで遊んでいるのでしょう。昼間ですし、そうご心配なさらずとも」

祖父の言葉に、田村屋は首を振った。

「弟が、妻のお美津をいびり出してしまいました。おのぶのことも邪魔にしてやしないかと、心配なんですよ」

話し方がきびしい。

「あいつはその上、雲外鏡を盗《と》ったのではと寺に疑われているし。心が安まりません」

全て、弟の庄七のせいだという。

どうやらここに来て、弟庄七は田村屋の信頼を失った様子だ。娘の姿が見あたらないと、弟へきびしい目を向けるほどに、田村屋の気持ちはこじれているのだ。

そのとき店の奥から、別の男が顔を出した。田村屋よりも大分若いが、よく似ている。

（この人が、庄七さんかな）

一太郎がそう思った途端、店の前で男二人が言い合いを始める。

「兄さん！　おのぶは外に遊びに出ただけですよ。何でも、あたしが悪だくみでもしているように言うんですね。いい加減にして下さい！」

「やっているじゃないか。お美津が飛縁魔だって？　あんな変な作り話をお前が言い出さなきゃ、何事もなかったものを！」

「兄さんが、素性も知れない妙な女に、引っかかるからですよ」

「まだ言うかっ。庄七、鏡はどこだい？　お前が盗ったんだろう。さっさと返しなさい」

「ありかなど知りませんよっ」

だんだん大喧嘩になってくる。祖父はそれを、一太郎達には聞かせたくなかったようだ。二人を無理矢理店の中へ押し戻す。だが勝手に出歩いているひ弱な孫を、早く長崎屋に帰さねばとも思ったようで、振り向いてこう言ってきた。

「ちょっとそこでお待ちよ、一太郎。すぐに駕籠《かご》を呼ぶからね」

驚いた。このままでは駕籠で家へ運ばれる。もっともここで逃げたら、後で叱《しか》られるだけでなく、優しい祖父に泣かれるかもしれない。

だが今日は迷わなかった。栄吉を助けなくてはならないからだ。

「まだ帰れないよ。逃げなくっちゃ」

「じゃあ、そこの路地へ入ろうや」

小さな姿が一斉に、細い道へ駆け込む。こうなったら大人が簡単に、見つけられるものではなかった。

(でも、もう明日は出してはもらえないな)

早く栄吉を捜さなくては。そう心に誓って長屋の間を歩いていると、隣で長吉が首を傾《かし》げた。

「おのぶちゃんて子にも、話を聞けたら良かったのに。影女と関わりのある不思議な鏡が、その子の家にあるはずなんだろう？　おのぶちゃん、どこへ行ったのかな」

店にいないのなら、外で遊んでいるはずであった。しかし田村屋の者に居場所が分からないからには、この辺にはいないのだろう。

「きっと、おかあさんのとこ」

小さなおとせがあっさり言った。おとせにとって、毎日は遊んでいるか、母といるかであった。しかしその言葉を三太が否定する。

「田村屋のおかみさんは、もう店にいないんだ。だよね？」

一太郎は頷いてから……大きく目を見張った。

「いや、もしかしたら、おとせちゃんが言った通りかもしれない。おかみさんは店を出たけど、娘のおのぶちゃんが、田村屋に残っているもの。今も近くに住んでるかもね」

それならおのぶは昼間、お美津に会いに行けるからだ。

「おのぶちゃんはきっと今、お美津さんの家にいる。話を聞きに行こうか」

「お家、分かるの？」

みなが顔を見合わせる。田村屋にも分かっていないだろう事だ。一太郎達が知るわけがない。しかしここで三太がこう言い出した。

「近所のことなら、誰が越してきたか、振り売りをしてるおとっつぁんは詳しいよ。野菜を全く買わない人は、いないから」

「でも三太のおじちゃん、ここにはいないよ。それにこの辺のこと、知ってるかな？」

首を傾げるみなに、一太郎が言う。

「じゃあ、近くを歩いている振り売りのおじさんに、聞くっていうのはどうかな？」

「そうか」

地元の事は、そこにいる人に聞くに限る。さっそく耳を澄ませてみた。遠くない所から、

「のりやぁ、姫糊《ひめのり》ぃ」

「どじょー、どじょー」

などと、よく通る声が聞こえる。長屋には多くの振り売りが回ってくるものだ。

みなで、声の方へ歩き出した。

6

「ひえっ、出たっ」

「いるよ。こっちにもいるっ」

「三太っ、後ろだ。見ろよ。お前の影、勝手に動いてる!」

四半時の後。一太郎達は、長屋の路地を逃げ回っていた。

いや本当は、振り売りに聞いたお美津の家に向かっていたのだ。しかし長屋の並ぶ裏通りを歩んで行くと、じきに沢山の影女が、障子の上に現れてきた。

「おいら、影女を見たのは初めてだよ」

三太が顔を引きつらせている。

「しかもこんなにいっぱい。どうして出てきたんだろう？」

ふにょふにょ動く影から飛んで逃げたあと、一太郎は一寸《ちょっと》黙ってから、答える。

「きっとこの先に、影女と鏡が揃ってるからだ。影女の本体がいるんだよ」

炭火に手を寄せると熱くなるように、妖《あやかし》に近づいているから、不思議が増えているのだ。その言葉に三太が首を傾げる。

「じゃ、おいら達、鏡に近づいているの？」

「そうだと思う」

「鏡は田村屋にあるんじゃないの？　田村屋からは離れてきてるよ」

皆で顔を見合わせ……首を傾げた。一太郎は周りの長屋の障子を見る。

「どうしてだか訳は分からないけど、今鏡は、向かっている先にあるみたい。つまり、お美津さんの家にあると思う」

「おいら達、影女が暴れてるところへ行こうとしてるのか？」

三太が、また怯《おび》えた顔を見せる。一太郎は、きっぱりと言った。

「怖かったら田村屋に戻ってて。あそこには今、うちのお祖父様がいる。だから大丈夫だよ」

だが一太郎は先へ進む。何としても栄吉を捜すのだから。

「お、おいらも行くもん」

その決意を聞き、長吉が三太の手を握ってやった。それで三太はちょっと、落ち着いたみたいだ。それを見て、一太郎もおとせ達の手を摑《つか》む。みなに笑顔が出てきた。

次の長屋の路地の手前で、全員が立ち止まった。障子が両側に並び、またもや影が盛大にうようよしている。

「三太、こ、怖いか……？」

「大丈夫だよ、長吉。うん……一緒に行く！」

みなでぎゅっと手を握り、そこを一気に駆け抜けることにした。全員で行けば、きっとうまくいく。

「いいかい？　じゃ、今からいくよ」

長吉の声に、一同が頷《うなず》く。前を見据えた。

「ひの、ふの、みいっ、それえっ」

手を繋《つな》いだまま走り出した。井戸の所ではさっと握った手を離し、うまいこと井戸端をすり抜けた。路地の渠《みぞ》の板を踏み鳴らしつつ、更に次の路地へと突っ込む。走り抜く。

怖い。今にも右から左から、動く影がおそいかかってきそうで、怖い！　でも、口からは「ひゃーっ」という、歓声に似た声が出ていた。みなでこんなに奇妙な影を、ものともせずに突破していくのは、凄《すご》い。全く凄いことだった！

体の周りを風が吹き抜けてゆく。

「ひょえーっ」

障子の列が途切れた。土蔵脇《わき》へ走り出て、一旦《いったん》足を止める。

「く、苦しいや……」

「ぜーはー……」

「はあ……はあ」

誰もが息が切れて言葉にならない。しかし、もう怯えた顔をした者はいなかった。一太郎も、ちゃんとついて行けた。滅茶苦茶大変だったけれど。

一休みしたあと、じきにまた手を繋ぐ。次の長屋の路地へと向かうのだ。お美津の住む小さな一軒家は、その先にあるはずであった。

「うへえ」

「うわあぁ」

「……嫌だなあ」

怖い路地は抜けられたものの、長屋の隣の小さな家を目にした一太郎達は、またまた顔をしかめた。

お美津の家は、今通ってきた場所よりもっと凄い事になっていたのだ。そこでは障子に映った影どころか、庭に落ちた木の影すら、くねくねと勝手に動いていた。よく見れば、家の影だとて、落ち着いていないみたいに見える。長屋だったら、今頃凄い騒ぎになっていそうだ。

「あの影を踏むのは嫌だなあ」

一太郎ですら、それは御免だった。生き物のように見えるからで、猫や犬を踏んづけることが出来ないのと似ている。

それで用心しつつ日なたを選んで、縁側へと近づいて行った。だが、何しろ影の方が動くものだから、うっかりすると踏みそうになる。みな、もそもそと亀《かめ》の歩で進んでいく。

その時、縁側の奥から大きな声がした。

「誰？　何で入ってくるの？」

現れたのは子供だった。五つくらいの女の子だ。

「あ、おのぶちゃんかな」

一太郎が声をかけたとき、おのぶの顔が強《こわ》ばった。うごめく影を見てしまったのだ。

「やだっ、おっかさんっ」

悲鳴のような声をあげ、影から逃げる。走って、突き当たりの板戸を開けた。小さな納戸《なんど》のような部屋だ。

ところが開けた途端、中で何かが、ぴかりと光った。

「わっ、何だ？」

引きつった声と共に中から現れたのは、何と栄吉だった。手に大きな鏡を抱えている。

その鏡が表に現れた途端、一気に影達の動きが激しさを増した。障子に数多《あまた》湧《わ》き出てくる。影女が走り回る。木の影が跳ねる。足元の影も右に左に揺れるものだから、己まで揺れている気がして、気持ちが悪くなりそうだ。おのぶが悲鳴を上げ続ける。

「栄吉、鏡だ。そいつを隠して」

一太郎が叫んだ。だが鏡が大きすぎて、子供の着物の短い袂《たもと》では、覆《おお》いきれない。更に影の暴走は激しくなる。みなの足元からちぎれて、どこかへ逃げて行ってしまいそうだ。

そのとき。栄吉の持った鏡に、さっと涼やかな色が映った。

思わず一太郎が振り向くと、縁側に綺麗《きれい》な着物を着た女の人が立っていた。大騒ぎを見て、酷《ひど》くびっくりとした表情を浮かべていたが、すんなりとした、優しげな人であった。

「何てこと。ちょっと待っててよ」

女の人は部屋に取って返すと、じきに大きな風呂敷《ふろしき》を持って出てきた。それをすると鏡に掛けると、まるで嫌だとだだをこねるかのように、影の動きが収まっていく。更にもう一枚被《かぶ》せ、しっかりと包みこむと、障子から灰色の影がこぼれ落ちるように抜けて行く。じきに、ただの白一面に戻っていった。

「おっかさんっ」

おのぶが泣き声と共に、駆け寄ってすがった。ということは、この女の人が田村屋の後妻、お美津なのだ。だが一太郎達は、二人のことはさておき、とにかく栄吉に飛びついていた。

栄吉の顔は、既にあふれ出た涙でぐしゃぐしゃになっている。まともな声が出せず、みなに必死にすがりつき、嗚咽《おえつ》を漏らしていた。

「心配したよ。どうしてこんなとこにいたの？」

「何でそんな鏡を、抱えてるのさ」

「三春屋のおじさん、怖い顔をしてたよ」

「うっ……うへっ」

一太郎の言葉に、栄吉が泣きながら、情けないような顔つきを浮かべる。それからへたりと縁側に座り込むと、この家に来た訳を話し始めた。

「昨日、日本橋のあたりに来たら、また影女を見た。それで今度こそやっつけようと思って、影が逃げた方へ行ったんだ」

影女はこの家に近づくにつれ、だんだん数を増してきた。やがて影がこの納戸に入ったように見えたので、栄吉も勇気を振り絞って後を追ったら、この鏡があったという。

「中が暗かったんで、鏡をよく見ようと思って戸を開けたんだ」

そうしたら！　日が当たった途端、外に驚くほどの数の影女が湧いて出てきた。動き回り、はね回る。もの凄い有様だったという。

影はあまりにも多かった。草木が揺れ、家が揺れ、足の下まで揺れていた。世の中が奇妙なものに、あっという間に変わってしまったかのようだった。影に引きずり込まれると思った！

「怖くて、怖くて、怖くて……」

栄吉はまた涙を流す。それで、ずっと納戸から出られなかったらしい。栄吉は一人きりだったのだ。

「その、しょんべんだけはちょっと戸を開けて、庭にしちゃったけど……」

納戸の中は暗くて影が見えない分、怖くなかったらしい。だが水すら飲めなくて、のどが渇いたという。

「ぼうや、一日納戸にいたの？　大変」

それを聞いたお美津が、急いで大きな椀に入れた水を持ってきてくれる。栄吉は椀ごと飲む気かと思うくらい、一気に飲み干した。

「それにしても、今の騒ぎは凄かったわね。何でここに、この鏡があるのかしら」

お美津が風呂敷の包みを抱え、首を傾《かし》げている。

（あ、この人には影女が見えたんだ）

一太郎は驚いた。さすがに、あそこまで物凄くなると、大人にでも見えるのだろうか。だがその言葉を聞いて、隣にいたおのぶが、泣きそうな顔になった。鏡を見ている。

（ははあ……きっと鏡は、おのぶちゃんが田村屋から持ち出したんだね）

この鏡の騒ぎで、母のお美津が家を出ることになった。鏡が店にあると、お美津が戻れないとでも思ったのかもしれない。

鏡は庄七が広徳寺から持ち出し、その後おのぶが田村屋からこの家に、持ってきてしまったのだ。それで庄七はもう必要ないとなっても、鏡を返せずにいたのだろう。

一太郎は、これで辻褄《つじつま》があった話を、お美津に説明しようかとも思った。だが今は止《や》めにする。

「三春屋のおじさんが、昨日の晩帰らなかった栄吉のことを、それは心配しているの。たぶん今、田村屋さんの近くに、お祖父様と一緒にいると思うんだけど」

早く栄吉を連れて行った方がいいと思う。それにどうせ、祖父にも三春屋にも田村屋にも、今回のことを一通り話さねばならない。

「くたびれてるから、話すのはまとめて一回で済ませちゃいけない？　その方が、楽だと思うし」

「まあ。小さいのに、しっかりしているのね」

お美津は笑った。では話を聞きついでに、お美津がみなを田村屋まで送ろうと言ってくれる。おのぶも田村屋に帰さねばならない。

「おっかさん、お店に行って、またおじちゃんに虐《いじ》められない？」

おのぶが母の膝《ひざ》の上で、真剣な顔で問う。お美津が笑って首を振った。

「庄七おじさんは、そりゃあおとっつぁんが好きなだけなのよ。あの人が親代わりだったからね。だから遠くに養子に行くと決まった後で、私みたいな身元の知れない女が家に入って、心配だったんでしょう」

それでお美津を疑った。一旦相手が怪しいと思うと、何もかも疑わしく思えてくるものだ。影女を怖いと思うと、それは恐ろしい妖のように思えるのと似ていた。

「さあ、それじゃあ田村屋さんに行きましょうか。お家の人が心配しているわね」

剣呑《けんのん》な鏡はお美津が持ってくれた。早々に、みな揃《そろ》って田村屋に向かい家を出る。障子にも木の陰にも、もはや影女の姿は無かった。

栄吉はやっと泣きやんで、心底ほっとした顔をして歩いている。そのうち一太郎の方を向くと、歩きながら「怖かったよぉ」と、珍しいことを言ってきた。

一太郎は頷いて、栄吉の手を摑む。長吉が反対の手も握る。みなで手を繋いで行けば、たいていのことは心配ない。

今日走ったとき、そうと分かった。

7

田村屋の奥座敷で、子供らが一連の事をてんでに語った。

子供のことだからと、話は半分差し引かれた上に、何故《なぜ》だか時々、笑いが混じった。

だがそれでも、誰がどう動き、どうなったのか、大人には分かったらしい。

栄吉は心配をかけたと、親につんと叱《しか》られた。

一太郎も叱られて、その上祖父に嘆かれた。

一番酷かったのは庄七だ。そもそもが、庄七がお美津に言いがかりをつけたせいだと、兄の田村屋は家から放り出さんばかりに、弟のことを怒っている。

だがそれを取りなしたのは、お美津だった。

「ただ一人の弟に、心底心配してもらうなんて、ありがたい話ですよ。庄七さんは、じきに養子に行くんです。あんたが先々どうなろうと気にせず、さっさと家を出ちまえば、それで済んだんですよ」

だからそこまで癇癪《かんしゃく》を起こすなと言われ、田村屋は黙ってしまった。庄七は赤くなって、下を向いている。

「おやおや、田村屋のお三人には、これからもうちっと、話し合うことがありそうだね」

側《そば》で聞いていた祖父がそう言って苦笑を浮かべる。今のお美津の一言だけで、田村屋の三人の間にあった、今までの不信や確執が拭《ぬぐ》える訳ではないだろう。

しかし、向かい合って、真っ直ぐに相手の目を見て、話を始める心持ちにはなったかに見えた。

祖父は、鏡を抱えた広徳寺の僧の方へ向いた。

「広徳寺さん。こうして鏡が返ったのだから、もう怒っちゃおられないですよね？」

僧は片眉《かたまゆ》を上げ、ちらりと祖父を見てから、田村屋のみなに目を向ける。そのあと口を開きかけ……結局黙ったまま頷《うなず》いた。

そのまま暫《しばら》くみな黙っていたが……それでも、大層雄弁な話を聞いた後のように、事は収まっていったようだ。

その後も色々話がされたのだろう。もしかしたら大人にとっては、その後の話の方が、大変だったのかもしれない。だが、じきに一太郎はくたびれ、持たなくなった。

栄吉が帰ってきて、影女も消えたのだから、一太郎にとっての騒動は終わったのだ。

よその家にいたのに、一人で座っていられなくなり、祖父の膝の上に登ると顔を懐《ふところ》に埋めた。笑い顔が目の前にあった。

無理をしたから長崎屋に帰った後、また寝込むのかもしれない。長吉達と次にいつ遊べるのかすら分からない。あんまり長いこと会わずにいたら、やっぱり名前も忘れられてしまうだろうか。

(でも、憶《おぼ》えていてくれるかもしれないし)

この二日は、大変だったけど楽しかった。

(みなといっぱい話したよ。走ったりもしたよ)

またきっと外に出て、栄吉やみなと、遊ぼうと思う。隣に座っていた栄吉が、小さな声で一太郎に「ありがとうね」と言った。

一太郎はにこりと笑う。

「うん、また遊ぼうね」

友達の手を摑《つか》んだ。

ありんすこく

1

「ねえ仁吉《にきち》、佐助《さすけ》、私はこの月の終わりに、吉原の禿《かむろ》を足抜けさせて、一緒に逃げることにしたよ」

しだれ桜の季節も終わり、めっきり暖かくなった昼どき。廻船《かいせん》問屋兼薬種《やくしゅ》問屋長崎屋の離れで、昼餉《ひるげ》の膳《ぜん》を前にした若だんなが、二人の兄《にい》や、仁吉と佐助に向かってそう言った。

相伴《しょうばん》していた兄や達の箸《はし》を持つ手が、ぴたりと止まる。二人は顔を見合わせると、佐助が腕を伸ばし、若だんなの額に手をあてた。どうやら病弱な若だんなが熱を出し、うわごとを言っていると思った様子だ。

だが若だんなはここのところ珍しく、体調が良かった。

「佐助や、熱は無いってば。禿の名はかえでだよ。もうすぐ十五なんだ」

「ほーっ」

兄や達二人の手代《てだい》から出てきた声は、それだけだ。足抜けの話よりも、若だんなのぐあいが悪くないかどうかを、まだ疑っている様子だ。膳にある胡椒飯《こしょうめし》の減り方が、少ないせいかもしれない。

昼餉の献立は、胡椒飯、大根の梅肉あえ、味噌田楽《みそでんがく》にしたがんもどき、納豆汁、香の物であった。例によって若だんなには、いささか多すぎる。

だが若だんなの言葉に、驚いた者どももいた。部屋の内に湧《わ》き出てきた数多《あまた》の小鬼たちと、屏風《びょうぶ》の中から抜け出して来た派手な男だ。こちらは目を皿のように見開いている。

勿論《もちろん》皆人ではないが、若だんなにとってその姿は馴染《なじ》みのもので、驚く様子もない。長崎屋の先代の妻ぎんは、その名の知れた大妖《たいよう》で、若だんなは祖母から、人ならぬ血を引いているからだ。その縁で長崎屋の離れには、数多の妖《あやかし》達が顔を出す。今、目の前にいる二人の兄や達すら、実は妖であった。

平素ならばその姿に驚くのは、人の方である。しかし今日は、立場が違った。

「若だんな、一緒に逃げるって……そんなお人と、どこでどうやって知り合ったんですか？」

そう聞いてきたのは鳴家《やなり》という小鬼の一匹で、興味津々《しんしん》と顔中に書いてある。若だんなは大根を食べながら、笑って答えた。

「おとっつぁんが昨日、世間を知っておくためだと、私を吉原へ連れていってくれただろう？　ほら、ここ一ヶ月寝込んでいないから、ご褒美《ほうび》ということでさ」

若だんなはぐっと丈夫になったのだと、胸を張っている。つまりは一ヶ月前まで寝込んでいたのだが、わざわざそのことを言ったりはしなかった。皆承知しているからだ。

「ほほーっ」

今度は兄や達だけでなく、鳴家達も声を合わせる。

「おとっつぁんが、妓楼《ぎろう》の楼主に話をつけてくれてね。私は初めてだけど、昨日特別に花魁《おいらん》と同席して酒宴をしたんだ」

初めて妓楼にあがった若だんなが、花魁と親しく口をきいて、酒を飲むなどということは、本来ならありえない。吉原の大見世《おおみせ》では、初回の客は花魁と顔をあわせるだけで、話もしないものだからだ。

「しきたり通りにしていたら、私がなじみとなって酒を飲めるようになる前に、雪が降って年が明けちまう。おとっつぁんてば、そう言うんだよ」

酒宴は多摩屋という妓楼で開かれた。花魁や女芸者たち、太鼓持も顔を揃《そろ》え、賑《にぎ》やかであった。藤兵衛《とうべえ》の馴染みだという花魁花岡は、大層麗《うるわ》しくて眼福《がんぷく》。花魁が連れていた二人の禿は、かえでとまつばといって、どちらも競うようにかわいらしい。

足抜けの相手だというかえでの方が、ちょいとばかり気が強そうで艶《あで》やかだという。

「ほうほう」

「皆、梟《ふくろう》にでもなったのかい？　ほうほうってばかり言ってるよ」

これには佐助が言葉を返した。

「それじゃあ言いますが、若だんな、昼餉を残しちゃあ駄目ですよ」

「なんだ食欲の心配かい？　皆落ち着いているね。私は足抜けを手伝うと言ってるのにさ」

ぽりぽりと香の物を食べながら、若だんなが拍子抜けしたように言う。仁吉が、片《かた》眉《まゆ》をくいと上げて聞いてきた。

「若だんな、禿と一緒に落ち延びるって意味、ちゃんと分かってるんですか？」

足抜けとは、女郎が借金を残したまま、年季も明けぬ内に吉原から逃げるということであった。

「捕まりゃあ、仕置きが待っています。打ちすえられたり、荒縄で柱に縛り付けられたり。いや、もっと酷《ひど》い目にあうんですよ」

その上逃げた女郎を捜すために使った分は、女郎の年季増しとなる。

「うん、見つかると大変だってことだよね。だから上手く逃げなきゃね」

あっけらかんと言う。これを聞いた妖一同は、また「ほほう？」とつぶやいて、首を傾《かし》げることとなった。屛風から出てきた妖、屛風のぞきが腕組みをしている。

「確かにそうなんだが……でも違うというか、ずれているというか」

「若だんな……本当に共に逃げる程、その禿がお好きなんですか？」

眉間《みけん》に皺《しわ》を寄せてきた兄や達に、若だんなが屈託《くったく》無く笑う。

「かえでは禿だからまだ子供なんだけど、良い子だよ」

「……やっぱり何かが違う。惚《ほ》れたはれたが聞こえて来ないよ」

屛風のぞきは首をぐっと傾げ、呆《あき》れたようにつぶやいた。

酒宴には、藤兵衛の昔なじみだという妓楼の楼主も顔を出し、酒を酌《く》み交わしていた。あまり酒を飲まぬ若だんなは、太鼓持の芸を眺めたり、皆と投扇興《とうせんきょう》というものをして遊んだ。

投扇興とは、三寸ほどの台の上に、蝶《ちょう》と呼ばれる的を置き、それに扇子を投げて落とし、点数を競う遊びだ。

「ほうっ？　投扇興？」

吉原では珍しい遊びですねと、仁吉が少しばかり首を傾げている。

「私はその投扇興で、かえでに負けてしまったんだよ。勝ったご褒美は何が良いか聞いたら、廓《くるわ》の外に出たい、足抜けしたいんだって。だから手伝うと約束したんだ」

「へっ？　賭《か》け？　負けた？」

そうと聞いて、一寸《ちょっと》皆の顔がきょとんとした。それから一斉に妖達が笑い出す。

「あはは、やっぱりねえ。変だと思いましたよ」

「やれやれ、こんな話に落ち着くんですね」

「まったく色気の欠けた話だよ。吉原へ何しに行ったのやら。吉原だよ。天下のありんす国へ行ったのにさ」

「きゅわきゅわきゅわっ」

鳴家ときたら、若だんなの膝《ひざ》の上で両手両足を振って笑いこけている。それを見て、若だんなが不思議そうに首を傾げた。

「どうしてここで笑うのさ」

「いや、そのうち分かるようになりますよ」

佐助はそう言いながらも、やはり笑っている。

「その禿さんは、長崎屋へ来るんですか？　皆で遊ぶんですか？」

鳴家達が期待を込めて聞いてきた。若だんなは湯飲みを持ったまま、首を振る。

「足抜けした禿を連れて、店に戻ってきちゃまずいだろう？　ここには来ないよ。だけどとにかくその件で、月末にはまた吉原へ行くからね」

最後の方は、早口で言った。次の遠出を止められてはたまらない。若だんなはこの一言が言いたくて、話を切り出したのだ。

だがやはり、これを聞いた佐助が、さっと顔をしかめる。

「若だんな、無理するとまた寝込みますよ。月に二度も吉原へなぞ、行っちゃあ駄目です。あそこは遠いですから」

釘《くぎ》を刺してくる。

「いけませんよ。無理すれば寝込むこと間違いなしです」

仁吉も首を振っている。足抜けの予定よりも、遠出を大事と思っている様子だ。だが若だんなは、今度ばかりは引かない構えだ。

「大丈夫だってば。月末もおとっつぁんが連れていってくれるんだよ。そう約束したし」

「ほうほうほうっ？　まさか旦那《だんな》様が、その禿との足抜け話をご承知だと？　おまけに吉原へも、また一緒に行かれるんですか」

　こうと聞き、妖達が一斉に驚いた表情になる。

　長崎屋夫婦は跡取り息子に甘いことで、とみに有名であった。若だんなが早起きをすれば、体に障《さわ》るのではと心配する。ではと、昼近くまで寝坊をして、仕事もせずに遊んでいると、退屈でかわいそうにと、お小遣いと珍《めずら》かなお菓子をくれたりする。

　それほどに甘く心配性でもある父親の藤兵衛が、病弱な若だんなを再び舟に乗せ、駕籠《かご》に乗せ、遠方の吉原くんだりまで連れて行くという。

「一回きりの気晴らしなら、まだ分かりますが……月の内に二回も！　旦那様はどうなすったんでしょうね！」

「おまけに、若だんなが本当に禿と足抜けなぞして逃げ回れば、きっと病になります。寝込んでしまいます！　旦那様が止めもせず、それに手を貸すとは！」

　佐助と仁吉が口々に言う。その目が剣呑《けんのん》そうに光った。長崎屋の手代であるだけでなく、妖でもある兄や達の黒目が、猫のように細長くなっている。

「変だねえ」

「おかしいよ」

「旦那様が変だよ。若だんなをどうするおつもりなんだろうか」

妖達の様子が、少々物騒になってきていた。元々皆、千里四方の内で大事なのは若だんなだけなのだ。病になることなどさせたら、藤兵衛だとて鳴家に足を嚙《か》みつかれかねない。

兄や二人が上目遣いになって、若だんなの顔を覗《のぞ》き込んでくる。

「何か変ですねえ。この足抜け話、変ですねえ。賭けに負けたからですって？　若だんな、妙ですよ。一体何をたくらんでいるんですか？」

「おまけに旦那様まで妙だよ。若だんな、他にも話すことが、あるんじゃないですかね」

そうと聞かれても、若だんなは知らぬ振りでご飯を食べている。喋《しゃべ》らぬつもりと知って、兄や達は次の手を考えた。

「分かりました。それならば仕方ない」

仁吉が変に物わかり良く言う。

「それならば、旦那様にお聞きしましょうかね。どうやら旦那様も、今度の話について色々とご存じのようだから」

そう言って立ち上がると、さっさと店表《みせおもて》に向かった。若だんなのことで話があると聞けば、藤兵衛はすぐに離れに来るだろう。

「あのねえ、おとっつぁんに何を聞く気なのさ」

残った佐助に聞いてみるが、返事がない。

普通であれば、手代が主人に聞けることなど限られている。しかし仁吉も佐助も、ただただ若だんなが第一と心得ている上に、妖である。だから人とは態度が違う。

（おとっつぁん、二人に問いつめられて大丈夫かしら）

心配だが止めることも出来ない。そうしている間に、はや仁吉に連れられた藤兵衛の姿が、中庭に現れていた。鳴家たちの姿が、影の中に消えた。

2

「あれまあ……」

離れの居間で、四人は一見和《な》やかそうに、向き合って茶など飲んでいる。しかし若だんなが心配した通り、藤兵衛はあっという間に兄《にい》や達に追いつめられ、事の次第を白状してしまった。

「旦那様、もう一度はっきり、言ってくださいますか」

言葉は丁寧だが、強い調子で仁吉が言う。全く誰が主人なのか、分かったものではない。

「だからその……今度のことは、一太郎《いちたろう》の色恋ざたではないんだ。妓楼の楼主に頼まれたのだよ。禿《かむろ》を一人、足抜けしたように見せて、廓からつれ出して欲しいと」

「……はあ？　妓楼の楼主が？　自分の店の禿を？　本当ですか、旦那様」

佐助と仁吉が揃って頓狂《とんきょう》な声を出した。横で藤兵衛が、ため息と共に渋い顔を浮かべている。

最初藤兵衛は明らかに、手代達に、このことを話すつもりではなかった。しかし、こと若だんなが関わっていると、二人は黙らない。恐ろしいことに藤兵衛は、最後には兄や達に脅かされたのだ。

「旦那様、全部言って下さらないと、おかみさんに、こう聞きに行きますよ。吉原は多摩屋の花魁《おいらん》花岡が、若だんなを妙なことに巻き込んでいる。ご存じかと」

「仁吉、お前……花岡を知っているのかい？」

藤兵衛の顔が、強《こわ》ばっている。

「旦那様の馴染《なじ》みの花魁が誰かくらい、とうに承知しております。妓楼絡《がら》みの話となれば、大方花岡花魁が関わっておりましょうからね」

ちらりと笑みを浮かべつつ言われ、藤兵衛の口から情けないような小さな声が漏れた。

「あのねえ、吉原へは接待や商売の話で行っているだけだよ。そりゃあ、宴席になれば花魁も同席はするが」

「分かっておりますよ。でもその言葉を、おかみさんが信じるかどうかは、別の話で」

仁吉がまたおたえの名を出す。こうなると、藤兵衛は弱い。口をぐっとへの字にする。

「さあ旦那様、全部話して下さいまし」

ここで口を挟んだのは、若だんなだ。

「凄《すご》いや、商売の駆け引きみたいだよ。こうやって相手を動かしてゆくんだねえ。覚えておかなきゃ」

「一太郎や、良い子だね。変なことを習わなくともいいんだよ」

息子にはきっぱりと言えるものの、藤兵衛の形勢はよろしくない。

「旦那様！」

その内にどうにもならぬと、ついに諦《あきら》めた。

「そもそも騒ぎの大元は、多摩屋の楼主、春蔵《はるぞう》なんだよ」

多摩屋の楼主と藤兵衛は、互いにまだ奉公人であった時からの友だという。

「吉原の楼主から足抜け話が出た？　どういう理由《わけ》でそんな妙なことを言い出したんで？」

「私も話を持ちかけられたときは、驚いたよ。だが、ちゃんと訳はあったんだ」

障りがあるゆえ余所《よそ》には漏らさぬよう言ってから、藤兵衛は話し始めた。春蔵と藤兵衛は、今でも遠慮を抜きに話せる友だ。それで今度のことも、話が巡ってきたのであった。

「楼主、今、禿を足抜けさせたいと言ったのかい？」

藤兵衛はある夜、多摩屋楼主春蔵の言葉を聞き、ただ驚いていた。

場所は馴染みの花魁花岡の部屋で、吉原でも大見世の総まがき、多摩屋の二階だ。吉原の花魁の部屋はなかなかに立派なものが多い。花岡のも二間続きで、豪華な金具の付いた箪笥《たんす》に、ぼんぼり形の行灯《あんどん》、ギヤマンの金魚鉢などが並んでいる。

だが客の藤兵衛が来ているのに、座敷には太鼓持はおらず、三味線がかき鳴らされることもない。藤兵衛、楼主、花岡の他には、小柄な禿が一人座っているだけであった。

藤兵衛は、そのかえでという禿を見知ってはいた。花岡花魁の用をこなしながら、先々最高の遊女となるよう、万事を仕込まれている引込《ひっこみ》禿の内の一人だ。

だからまだ、客を取ってはいない。ほっそりとした、じきに十五の子供であった。吉原にいる昨今の禿の中では、一の器量と言われていた。

「楼主、かえでは、ゆくゆくはこの多摩屋を背負って立つ花魁になろうかという子だろう?」

「そうだ」

「問題はそのことだけじゃあない。遊女には年季があって、その間は吉原から出られぬ決まりだ。皆借金だって背負っている。廓《くるわ》からの逃亡は、御法度《ごはっと》だよな」

楼主が「ああ」と、あっさり言う。遊女を逃がさぬために、吉原は黒板塀に囲まれており、周囲には鉄漿溝《おはぐろどぶ》があった。

「なのに楼主たるお前さんが、足抜けをさせたいという。一体どういう訳だい?」

当然聞かれると分かっていたことだったのだろう、楼主は一見落ち着いて、事の次第を話し始める。

「実は先日医者から、この先かえでに客を取らせるのは、無理だと言われたのだ」

少し前のこと、たまたま花岡花魁が熱を出した。多摩屋の筆頭花魁が病になったというので、医者に来て貰《もら》ったのだ。ちょうどかえでも何か具合が悪く、ついでに医者に診せた。楼主夫婦はそのとき、思いも掛けない言葉を、医者から聞かされたのだ。

「この子は心の臓がよろしくない」

それが医者の見立てであった。

直《す》ぐに寝付くという容態では無いものの、医師はかえでを早々に、養生に出すことを勧めてきた。以前にも同じような病を診たことがある。これは危ないのだと言う。

「遊女になれば体に負担が大きい。ゆっくりと寝ていることも出来ぬ暮らしとなるからな。それではこの子、早死にするのが目に見えているよ」

養生しても危ういがと医者に言われ、楼主夫婦は頭を抱えたのだ。かえでは引込禿ゆえ、じきに呼び出しという花魁になるはずの者であった。塗物問屋今出屋の若だんな、三之助から身請けしたいとの話も来ている。

「あたしたち夫婦には、子が遅くまで産まれなかった。だからかえでが生まれ、母親の花魁が亡《な》くなったとき、自分の娘として育てようかと迷ったんだ」

親類からの口出しもあって、結局娘とはしなかったものの、楼主夫婦は今でも、かえでを大層可愛《かわい》がっている。助けたい。病ならば廓の外へ出したい。すぐにそう思ったのだ。

　しかし。

「かわいいと思い、死んで欲しくないと願う。たったそれだけのことなのに、簡単には出来ないときてる」

　楼主が眉《まゆ》を顰《ひそ》めている。

「そもそも吉原は塀で囲まれた廓だ。なんぞやりたいと思っても、廓内では、ここならではの決まり事があったりするんでな」

　他店の楼主の目もある。一つの店だけが勝手をし、一人の遊女にだけ甘い態度を取るわけにはいかないのだ。

　かえでは禿とはいえ、吉原でも目立つ子であったから、なお特別扱いが難しいと楼主はいう。

「病にかかる遊女は、他にも多くいるからね。先の冬も、高熱を出す風邪が廓内で流《は》行《や》った。多摩屋でも遊女が死んだよ」

　楼主が自嘲《じちよう》ぎみな笑いを浮かべている。妓楼《ぎろう》では、遊女の不幸は楼主の非情のせいだと、常に噂《うわさ》される。陰で囁《ささや》かれる悪口も、己を責めさいなむ心も、皆その身一つに引き受けて、大金を扱い店を営める者でなくては、妓楼の楼主にはなれなかった。

そもそも遊女は病んでも、一部の高妓以外、妓楼が持つ寮への出養生すら、ままならないものであった。その寮とて、元来楼主の別荘であって、療養所ではない。多摩屋の寮も、たまに抱えの遊女が赤子を生む時に、何とか役に立っているくらいのものだった。

第一医者代は高い。それは江戸の町中でも同じで、長屋暮らしの者だと、医者など簡単に呼べるものではなかった。ましてや遊廓では、病になれば朋輩《ほうばい》の看病だけが頼りで、命を落とす者も多い。

労咳《ろうがい》、梅毒、癪《しゃく》、流行病《はやりやまい》。吉原というありんす国の遊女は皆、病を恐れていた。

藤兵衛が煙管《きせる》を取りだし、煙草《たばこ》に火を付ける。

「なあ楼主。もし強引に、一見元気なかえでを別格に扱って外に出したら、どうなる？」

「他の遊女が不満に思うだろうな」

先の流行病で、死んだ者が多く出たところであった。

「話はあっという間に廓の中を巡るだろう。病んでいる、わっちも寮で養生したいと情に訴える遊女が、あちこちの妓楼から、かなり現れるだろうよ」

「困ったことをしでかしてくれたと、多摩屋は他の妓楼から批判を受けるねえ、それは」

藤兵衛と楼主が、同時にため息をつく。

「そうなるのだけは困るんだよ。金よりも何よりも、この閉じられた町で生きてゆく為には、他店とのいざこざが一番厄介《やっかい》なんだ」

でも、それでも多摩屋の主人夫婦や花岡花魁は、かえでを放っておけないのだ。楼主夫妻にとっては子と同じ。かえでは花岡の、妹そのものであった。

「話は承知した。だが足抜けなんて物騒なことを言い出す前に、身請けを受ければいいじゃないか。今出屋の三之助というお人はどうなんだい？」

楼主は藤兵衛の問いに首を振った。

「今のかえでに、妾《めかけ》奉公は無理だよ。廓にいるよりはましだろうが、それじゃあ養生にならない。それに高い金を出して請け出した上に、更に医者代や薬代がかかるとなったら、今出屋さん、ずっとかえでの面倒をみてくれるだろうか」

すぐに治るあてのない病であった。

　かえでは下を向いている。藤兵衛は黙った。そのとき楼主が少しばかり言いにくそうに口にする。

「長崎屋さん、いっそお前さんが買ってくれないかい？　もちろん金は私が用立てるからさ」

「それは無理だ。私は養子なんだよ。私だって金は動かせるが、身請けをしたとなれば、人の噂にはすぐのぼる。おたえに言いつけられてしまうよ」

それだけは勘弁して欲しいというと、楼主がにやっと小さく笑った。

「相変わらずおかみさんに惚《ほ》れているねえ。良いこった」

藤兵衛は「ふんっ」と照れを隠すように言った。すぱりと煙草を一喫《ひとの》みすると、はや灰をたばこ盆に落とす。その一連の所作を、花岡が切れ長の目で追っていた。

「長崎屋さん、どうぞかえでと楼主に、お力を貸しておくんなんし」

頼りは藤兵衛だけと、花岡が袖《そで》を摑《つか》んでくる。藤兵衛は「分かっている」と言って、協力は約束した。だがしかし。

三人とかえでは、頭をつき合わせて考えるが、妙案は思い浮かばない。

「私に話すまでに、大分考えたろう。なんぞ思いつかなかったのか、楼主？」

「一度はあたしが何とか『切手』を手に入れ、それを使って、かえでを外に出せないかと思ったんだが」

楼主が懐手《ふところで》にして背を丸め、ちらりと窓の外を眺めた。店の前には人の行き交う道があり、その先に唯一《ゆいいつ》の出入り口、大門《おおもん》がある。

『切手』とは廓出入りの許可証で、女のみが必要とするものだ。大門を入って右手の『四郎兵衛会所』で貰う。廓の中で働いている女でも、貰わねばならない。

余所から廓に入ってきた女ならば、すぐに『切手』を貰うことができる。しかし、遊女では手に出来ない物なのだ。

まれに馴染み客との他出を許してもらえることもあったが、ほとんどの遊女は、年季が明けるまで、廓の外には出られない。

「そりゃあ私なら、かえでを連れて廓から出ることは出来るよ。だがそのときに、かえでに逃げられたなんて、見え透いた言い訳をするのは不味《まず》いんだ。楼主が禿をわざと逃がしたなんて、万一ばれたら、間違いなしに大騒ぎとなる。あたしも養子だし、店を潰《つぶ》したくはないからなあ」

「楼主にそんなことをさせる位なら、もうこのままでいたいと、わっちが言いんした」

かえでが静かな声で言った。かえでは禿だから、まだ店に出て客を取ってはいないが、既に廓言葉で喋《しゃべ》っている。吉原で花魁の子として生まれ、妓楼で暮らしてきたのだ。吉原で遊女が重い病を患《わずら》ったらどうなるか、嫌と言うほど見てきたからだろう、まだ十四で患っているのに、悟ったように落ち着いてみえる。

（己の事はもう、半分諦めているんだろうか）

藤兵衛が重い息をついた。かえでのその様子が、余りに病んでばかりで、寝込むのに慣れてしまっている息子を思いおこさせ、切なくなった。かわいそうだった。

しかし妙案は出ず、部屋の内ではいたずらに時が過ぎていく。

いずれ遊女として、客を取らねばならないときがくる。その前に何とかしたいと、楼主、藤兵衛と花岡花魁は焦《あせ》った。

焦っても、どうにも手が打てなかった。

3

まだ途中だがと言って、ここで一旦《いったん》、藤兵衛が話を一休みした。すると、その合間に佐助が若だんなに問うてくる。

「若だんな、旦那様の今の話、ご存じだったのでしょう？　何故《なぜ》最初から我々に、ちゃんと話して下さらなかったんですか？」

「だって……この件じゃあ、私も色々やりたいことがあるんだもの。でも兄《にい》や達は、私がなんぞしたいというと、直ぐに寝込むから駄目だと言うだろう？」

「やりたいこと？　何ですか？」

「そのね、足抜けというか、かえでを吉原から出すのは……月末と、話が進んでいるんだよ。私もそのとき、もう一度吉原へ行きたい。その場にいたいんだ」

それで、もう一度遠出をしたいと言ったのだ。ここ暫《しばら》く病んでいない。大分丈夫になった気がする。だから、少々の無理はきくはずだと若だんなが言う。ところが。

「丈夫？　そりゃあ思い違いです。他出は否！」

佐助の返事はにべもない。

「やっぱり、そうくるかい」

余りにずばりと否定され、若だんなはふくれ面《つら》だ。藤兵衛が息子と手代の話にため息をつきつつ、先を話し出した。

「かえでのことを相談する為に、吉原通いが増えた。するとそれを小耳に挟んだ一太郎が、廓のことを聞きたがってね」

知らない世界の話が面白かったようだ。もう十八になるのに、冷やかしで吉原へ行くのもままならぬ息子が不憫《ふびん》であった。どうせ吉原には行くのだし、酒宴だけでも楽しめるだろうと、藤兵衛は一度、若だんなを吉原へ連れて行くことにしたのだ。

「おとっつぁん、この後は私が言います」

ここで若だんなが、湯飲みを手にしながら話を引き継ぐ。まあこうして話し出してしまったら、いっそ全部白状するしかない。

「おとっつぁんに連れられて、私は昨日、吉原の大門をくぐったんだ」

舟で隅田川から今戸、山谷堀《さんやぼり》へ向かい、あとは駕籠《かご》で大門までつけた。その先、冠木門《かぶきもん》を入って直ぐには、屋根に幾つもの天水桶《てんすいおけ》を乗せた二階建ての建物が、道の両側にずらりと並んでいた。軒先に提灯《ちょうちん》が連なっている。

引手茶屋の並ぶ仲の町であった。その一軒に上がり一服した後、二人は多摩屋という妓楼へ移った。そこで夕刻まで酒宴をすることになっていた。

通されたのは二階にある花岡花魁《おいらん》の部屋で、調度の整った部屋の中程には、台の物という仕出し料理が置かれていて、それを花魁や太鼓持などが取り囲んでいた。

若だんなが初めてなのを皆承知しており、楽しい座にしようと、それは盛り上げてくれた。芸者達が三味線をかき鳴らす。二人の禿《かむろ》、かえでとまつばが酒を注《つ》いで回る。太鼓持が楽しげに踊り、妓楼の主人まで顔を出して挨拶《あいさつ》をし、座は賑々《にぎにぎ》しい。

「楽しかったんだけど、私はあんまりお酒を飲めないだろう。おとっつぁんは楼主と話し込んじゃうし、暇になってね」

若だんなが退屈だと見て、太鼓持が勝負事でもしましょうと、持ちかけてきた。それで、若だんなも心得ていて、妓楼に道具があった投扇興をすることとなった。

「勝負事となれば、なんぞご褒美《ほうび》がなければ力も入らない。私はおとっつぁんに貰《もら》っていた、紙花というものを何枚か差し出したんだ。この紙は一枚金一分に換金してもらえるそうな。勝った者へのご褒美というわけさ」

わっと座が盛り上がる。太鼓持や芸者達、禿らを交え、投扇興は真剣な勝負となった。

しかし。

「私はあっという間に、負けちゃったんだよ」

一人勝ちしたのは、初めてやったという禿のかえでだ。運が良かったのか、高い点の技が続けて出て、誰も歯が立たなかった。紙花は皆、かえでのものになったのだ。

若だんなが紙花の束を差し出すと、太鼓持や芸者達が、うらやましそうな表情を浮かべる。なのに当のかえでは、あまり喜んではいなかった。

「おや紙花じゃあ、嬉《うれ》しくないのかな？」

間近で見ると、華やかななりの禿は、生きた人形のようだ。若だんなが笑って聞くと、かえでがぼそりと言った。

「わっちの欲しい物は……お金ではかえんせんゆえ」

そう言われ、若だんなが首を傾《かし》げる。

「はて、それはなんだい？」

「聞いて、どうなさいんすえ？　簡単に手に入るものではありんせん」

そう言われると、是非に聞きたくなる。

「私に何とか出来るものなら、手に入れてあげる。約束するよ。何だい？」

何度か返事を促すと、かえでは消え入りそうな小さな声でこう言った。

「わっちは……切手が欲しいんでありんす」

それを聞き、驚いた顔の若だんなが黙り込む。

「どうしたんだい、かえで」

投扇興の道具を片づけていた太鼓持が不思議そうに聞く。その手前で、二人の話が聞こえたのだろうか。不意に藤兵衛がこう言い出した。

「悪いが、楼主と大事な話をしたいんだ。皆一旦、下がってくれないか」

その言葉と共に、気前よく紙花を渡す。思わぬご祝儀《しゅうぎ》に一同笑顔を浮かべ、部屋から消えた。ただ花岡花魁とかえでは残っていた。

「切手？　確か、おとっつぁんから聞いたな。吉原へ出入りするときに、女の人が必要なものだろう？」

「かえでは……廓《くるわ》の外に出てみたい」

「そうか、そういうことか」

　ここで若だんなは、少しばかり並とは違う友のことを考えた。頼めば切手も、その内なんとか手に入れられるかもしれない。

「じゃあ、ご褒美は切手にしようか。ちょいと手に入れるのに、手間取るかもしれないが……」

　言いかけて……顔が強《こわ》ばった。

　気がついたら父親と楼主が、若だんなの横に来ていた。

「一太郎、お前、切手を手に入れる算段がつくのかい？」

「若だんな、本当でありんすか？　本当だと言って下さんし」

　藤兵衛が、花魁が、必死に聞いてくる。まさか病弱な一太郎が、楼主たちでも無理なことが出来るとは、誰も思ってもみなかったのだろう。若だんなはゆっくりと一つ息を吐《つ》いてから、少し困ったように笑った。

「多分知り人に頼めば、何とかなるかと。でも、どう算段を付けるか、今は聞かないでもらえませんか」

「ああ、頼む人に、迷惑をかけることになるんだね」

藤兵衛は一人納得して頷《うなず》いた。

「それにしても、こういう大事を頼める知り合いがいるなんて、一太郎も本当に役に立つ子だよ。知らぬ間に友達が増えたようだ。大人になってきたんだねえ」

おとっつぁんは嬉しいよ、などと言って、目頭を押さえている。そんな藤兵衛を余《よ》所《そ》に、若だんなを見つめる花岡花魁の顔は、真剣そのものであった。

「若だんな、お願いですから早々に、切手を手に入れちゃあいただけませんか」

頼んできたのは楼主だ。土下座でもするかのように頭を下げる。若だんなは驚いて、困ったように父に顔を向けた。

4

「やれ、結局旦那《だんな》様が、若だんなを巻き込んだんですね」

話を聞き終わると、佐助が渋い表情を作った。ちらりと藤兵衛を見る目つきに、怖いような迫力がある。とても主人を見る目とも思えず、若だんなは慌《あわ》ててその顔は止《よ》すよう、佐助の袖を引っ張った。そして言う。

「私が動くのは、かえでのためなんだ。あの子は皆に手間をかけて、ひどく申し訳ないと思っているんだよ」

あの時。酒宴の席は、話し合いの場に早変わりした。

切手が無事手に入ったらどうするかを、話しだしたのだ。それを聞いて、若だんなは始めて事の次第を知ることとなる。

（かえでの心の臓が……悪い？）

驚いて、側《そば》に座っていたかえでを見た。当人も知っているらしく、こくりと頷く。その内かえでは畳に着けんばかりに頭を下げた。

「ほんに……申し訳ないことでありんす。酒宴が、こんな話になってしまいんして」

声が震えていた。

「今度は長崎屋の若だんなにまで、ご迷惑をかけることに。いいえ、今までにだって、沢山、皆に心配を……」

酷《ひど》く気になっているようすであった。

「かえで、気にするなと言っているのに」

楼主がそう言うが、かえでの言葉は止まらない。

「わっちは吉原で、この多摩屋で育ててもらったんでありんす。なのに、さあこれから働いて金を稼ぐとなったときに、病になりんした……」

親は早くに死んでいるから、今まで暮らしに要りような金は、全《すべ》て楼主が出している。

「これでは……かかったお金が、全て無駄になってしまいんす。きっと返すことなど、できんせん」

更に身を縮める。

「かえで、花魁が生んだ女の子を妓楼が育てることは、たまにある話なんだよ」

楼主がさらりと言う。中には、かえでのように店に出ることが出来なくなる者も出てくる。それでなくとも、子供は何人かに一人、育つことが出来ずに亡《な》くなる世の中なのだ。

「気にするな。そういう運だったのだろう」

「わっちは……役立たずでありんす」

かえでは少し震えていた。

「楼主に迷惑をかけんした。花魁にも、ようしてもらいんしたのに、何も返せず……。なのに病だからと、あっさりここを抜けたいと思うていて……」

ぽろりと涙がこぼれる。下を向く。

「でも、それでも死ぬと言われたら、怖いんでありんす」

「かえでは……死んでしまうのかえ」

そのとき障子の向こうの廊下から、驚いたような声が聞こえた。もう一人の禿、まつばであった。花魁とかえでが残ったので、まつばも去れずにいたらしい。二人の禿は手を握り合う。

「まつば、わっちは……怖い、怖い、本心、病から逃げたい。あと少しで死ぬかもしれんせん」

ただ怖いのだ。

「わっちは……わっちは本当に……済まないことでありんす」

後は言葉にならなかった。

若だんなは、かえでのその様子が忘れられない。己も……どう考えても、働きのある跡取り息子だとは言えないのだ。きっと医者代の方が、たまに店に出て稼いでいる分より、はるかに多いだろう。この身が情けないのは、きっと同じだ。

だから、と、兄や達に言った。

「是非にも切手を手に入れてやりたいんだ」

藤兵衛も続いて言う。こちらはいささか弱腰ではあったが。

「多摩屋の楼主も私も、あの子を養生させてやりたい。ここで一太郎に手を引かせないで欲しいんだが」

楼主が既に、かえでが逃げ込める先を見つけてあるという。逃げた後の捜索も、厳しくやるつもりは無いのだろう。だから問題は、どうやったら吉原から抜け出せるか、そのことだけなのだ。

仁吉は、今度は何故《なぜ》だか、にやっと笑った。

「まあ、若だんなが約束なすったと言うのなら、切手のことはあたしらも協力をいたしましょう」

妙にあっさりと言う。

「つまり切手さえ手に入れれば、禿は廓を出られるんでございましょう？　若だんなが遠出なさる必要も無さそうですし。それならば、構わない話です」

「おや……おお、おお、そうだね」

藤兵衛の顔が明るくなる。これで手代達の機嫌も直ると思ったらしい。だがこの話の成り行きに、若だんなが驚いた。

「そりゃあないですよ、おとっつぁん。私もこの一件を見届けたい。月末に吉原へ行けるよう、仁吉達を説得してくれないんですか」

「旦那様に無理を言っても駄目ですよ、若だんな」

「今日は随分きびしいじゃないか」

泣きついたが、そうしている内に店表《みせおもて》から小僧が呼びに来たものだから、藤兵衛はそそくさと離れから出て行ってしまった。どうにも今日の手代達は、手強かったらしい。

後には額に皺《しわ》を刻んだ一太郎が残された。

「それで若だんな、切手をどうやって手に入れるおつもりなんですか?」

「……ねえ佐助、もし月末まで私が寝込まなかったら、吉原へ行っても大丈夫だとは思わないかい?」

ちぐはぐな問答に、佐助が唇を引き結ぶ。

「若だんな、切手の話をしてるんですよ。あてがあるんですか?」

「ねえ、決まりだよ。約束だ。頑張ってご飯を沢山食べるからさ」

そのとき部屋の天井辺りから声がした。

「切手の手に入れ方、我らには分かりまする。もう分かっておりまする」

あっと言う間に、離れに数多《あまた》現れたのは、身の丈数寸の小鬼たちであった。藤兵衛がいなくなったので、姿を現してきたのだ。離れの畳に寝そべる。若だんなの膝《ひざ》の上に乗る。そうしてから、嬉しそうに喋《しゃべ》りはじめた。

「だからその為に今、仲間がおたえさまの部屋に、着物を取りに行っております。箪《たん》笥《す》に若い頃のお着物が、そのまま眠っておりますから」

きっとこっそり使っても、誰も気がつかぬだろうと言う。仁吉が首を傾げた。

「おやおや、何を言っているんだい？」

「若だんなは、影武者を立てるおつもりなんでしょう？　女でない者が、おなごに化けて切手をもらい、それをかえでに渡した後、己は堂々と大門から出て行く。そういう計画でしょう？」

「これは凄《すご》い。当たりだよ。よく分かったねえ」

鳴家《やなり》は若だんなに褒められ、「きゃわきゃわ」「きゅーきゅー」声を上げ、はしゃいでいる。その内離れに、着物を抱えた一団が戻ってきた。

「おお、手早いこと」

若だんなが驚いていると、そこに屏風《びょうぶ》のぞきも現れてきた。どうしてそんなものを持っているのか、屏風のぞきは白粉《おしろい》化粧をするための、白粉三段重を取り出してくる。

「女物の着物を着るのなら、ちゃんと化粧をしなけりゃあ、おかしいからね」

そう言うと、さっそく水に白粉を入れ刷毛《はけ》で混ぜ始める。これには若だんなが驚いた。

「ちょいとお待ちよ。どうして今から化粧の用意をするんだい？」

「若だんな、お前さんが女に化けて、吉原の四郎兵衛会所から切手を頂こうって話なんだろう？　それなら一度離れで試しに、着物を着てみた方が良くないかい？」

屛風のぞきはそう言って、畳に置かれた盆の上に、紅猪口《べにちょく》まで置いてくる。

「ああ、そういう作戦だったのですか」

達磨《だるま》柄火鉢の脇《わき》で、兄や達までがあっさり頷く。それを見て、若だんなが顔を真っ赤にした。

「ちがうってば！　どうしてそんなことを思いついたんだい。第一、男が女のふりをするなんて無理な話だ。歩くんだよ、話すんだよ！　女形じゃあるまいし！」

「おや、そうかい？　なに若だんなはまだ細っこいし、病身で子供の顔だから、案外……」

若だんなが珍しくも怒った顔を向けたので、屛風のぞきが黙る。

若だんなは一つ大きく息をつき、気を静めてから言った。

「私が考えていた身代わりの娘は、おしろだよ。猫又《ねこまた》だ！」

「ああ、そういうことですか」

途端に、離れの皆が納得をする。

猫又は、尾が二つに分かれるほど歳《とし》を経た猫がなる妖《あやかし》だ。化けるといい、人をたぶらかすともいう。だが、おしろは長崎屋の離れによく顔を出す、気の知れた知り合いであった。

「おしろなら上手に娘に化けられる。簡単に切手を手に入れられるよ。帰りは猫の姿になって出ればいいんだから」

おしろとかえでの二人には、似た感じの着物を用意しておこうと、若だんなが言う。

「確かにそれなら上手くいきそうです。では早々に、おしろに連絡をつけましょう」

佐助はそう言うと、鳴家の一匹を走らせた。若だんなは、ほっと息をつく。

だが鳴家が母屋《おもや》から持ってきた衣装にちらりと目をやると、それがため息に変わった。

「ねえ鳴家、吉原から足抜けする話をしていたんだよ。どうしてこうも、派手なものを選んできたんだい？」

着物は紅の地色に鯉《こい》と水の流れ、それに舞い散る花が描かれ、金糸の刺繍《ししゅう》が施されている。これを着たら、歩いただけで皆に注目されてしまいそうな品であった。

「だって、これが似合います。若だんなには、この着物が一番合うもの」

鳴家達がぴいぴいと言い立てる。隣で屏風のぞきが笑い出していた。

5

月末の夕刻。

おなごに化けたおしろは、拍子抜けするほどあっさりと、切手を手に入れた。吉原の仲の町近くで、登楼する途中の藤兵衛達に、それを無事渡してくれた。猫とばれては不味《まず》いので、そのままおしろは一行と別れて帰ってゆく。

藤兵衛達は、直《す》ぐに多摩屋へ向かった。おしろが着ていたのと似た縞柄《しまがら》の着物を、仁吉が風呂敷《ふろしき》に包んで手にしている。かえでは着替え、髪も地味に結い直し、暮れてから藤兵衛と共に廓《くるわ》を出て行く手筈《てはず》であった。

若だんなは仁吉と佐助に挟まれるようにして歩いていた。根性で月末まで病にかからず、加えて二人の兄《にい》やが一緒に来るということで、やっと今日の他出が許されたのだ。

かれこれ二月近く、病と無縁でいる若だんなは、最近機嫌がよい。

「このまま丈夫になれたらいいよねえ」

少なくとも寝込む日は減らせるのではないか。歩きながらの若だんなの言葉に、甘い父親は頷《うなず》いている。だが兄や達は疑り深い顔で、目を見合わせていた。若だんなが、ひょいと顔を上げる。

「ああ、いい音だよ」

暮れてきた吉原の町に、それは心地の良い三味線の音が流れていた。廓が活気づく刻限であった。

逢魔《おうま》が時《とき》の薄闇《うすやみ》が段々濃くなるにつれ、茶屋や妓《ぎ》楼《ろう》の庇《ひさし》から下がった提灯《ちょうちん》が、光の列を作る。格子《こうし》の中で遊女達が、明るく照らし出される時が来ていた。それを数多の男たちがとり囲み、ながめている。

一行は人の波に乗って歩き、今日は茶屋には寄らず妓楼へ入った。通されたのは前と同じ、花岡花魁《おいらん》の部屋であった。中ではかえでと共に、楼主夫婦、花岡花魁が、顔を揃《そろ》えていた。

「それで、女切手は手に入ったのですか？」

部屋に入った途端、待ちかねた様子の多摩屋夫婦が聞いてくる。藤兵衛が切手を懐《ふところ》から出すと、皆、嬉《うれ》しげな顔を作った。

切手と着替えの着物が、楼主に渡される。襖《ふすま》を隔てた隣の部屋では、禿《かむろ》のまつばが、髪を結い直す道具を用意しているという。

「話し合いで決めた通り、冷やかしだけで帰る客達が引き始めるのに混じって、かえでと一緒に大門から出るよ。着替えをさせておくれな」

「あ、ありがとうございます」

頭を下げるかえでを花魁が促し、襖の向こうに送り出す。見送った藤兵衛が、不意についと眉《まゆ》を顰《ひそ》めた。

「ところで一太郎、この切手を貰《もら》ってくれたあの女の人は、本当に大丈夫なのかい？　気が急《せ》いていたから、あのまま別れたが」

父の心配はもっともだったが、まさか本当のことは言えない。猫又のおしろは今頃猫の姿になって、門の外に出ているはずであった。

「どうやって誤魔化《ごまか》し、出るかは聞かないで下さい。その……大丈夫ですから」

若だんながちょいと困ったように言うと、藤兵衛が重々しく頷いた。

そのとき楼主が、長崎屋の親子に深く頭を下げてきた。

「本当に……この度は迷惑をかけた。申し訳ない。恩に着る」

隣でこれも畳に手をついたのは、花岡花魁だ。こちらは今宵も一際麗《ひときわうるわ》しい。

「ほんに、ありがとうござんす。あちきからも、お礼を言わせておくんなんし」

これを藤兵衛が遮る。

「手を上げておくれな。皆で、かえでのためにやっていることじゃないか」

兄や達がこのやりとりを聞きながら、面白がっているような顔をした。

「ははあ……綺麗《きれい》な花魁ですねえ」

「なるほど、情のありそうな目で旦那《だんな》様を見ておいでだ。こりゃあ長崎屋で花魁の名を言えないはずで」

藤兵衛が咳払《せきばら》いを一つして、とにかくまだ事は終わっていないのだと、気を引き締めるように言った。

「でもまあ、後は我々の一行と共に、大門を出て行くだけの話だがね」

かえではじきに着替えを終え、隣室から出てくるはずであった。一寸《ちょっと》静かになった部屋には、他の部屋からの賑《にぎ》やかな声や気配が伝わってくる。

事はひっそりと運ばれている。

「それにしても……」

ここで、一太郎達が、小声で話し始める。何とはなしに寂しかった。

「もう今日きり、かえでには会えないのでしょうね」

「江戸から遠く離れた地の、お医者様に預けることになっているのさ」

医者は、広徳寺の寛朝僧都《かんちょうそうず》の知り合いだという。

「知らぬ土地へ行って、かえでは寂しかろうが、その方が吉原の者に見つからぬから、安心だ」

楼主が優しげに言う。

「これから地道に療養して、病を癒《いや》していかねばならん」

治るかどうか分からぬ。かえでは心の臓を病んでいる身であった。

「かえではまだかね。そろそろ行かないと」

しばし後、藤兵衛が花岡花魁に声を掛ける。頷いた花魁が隣の間に消え……直ぐに慌《あわ》てた顔で戻ってきた。

「かえでがおりんせん。どこぞへ消えてしまったようでありんす」

「厠《かわや》にでも行ったんじゃないかい？」

驚いた顔の楼主が聞く。花魁は首を振った。

「さっきいただいた着物が、部屋に放り出してありんした」

用があって、部屋を離れたとは思えないと言う。かえでは姿を消したのだ。

楼主や花魁が、部屋から出て、かえでを見なかったか聞きに行く。じきに、消息が聞こえてきた。

「今出屋の若だんな、三之助さんが来ていたようです」

かえでを抱えるようにして一緒に店の外へ出て行ったという。

部屋内の者達が、目を見合わせた。三之助は、かえでを身請けしたいと言っていた相手だ。

「しかし、どうして今日の今、会いに来んしたのやら」

花魁が憮然《ぶぜん》とした口調で言う。何故《なぜ》に、よりによってこんなときに、来なくてはならないのか。あまりにも間が悪すぎる。

「足抜けのこと……知っていた誰かが、三之助に教えたんだね」

若だんなが口にした。こうなると分かっていて、わざと失敗するように、三之助に連絡した者がいるのだ。三之助は、足抜けの話を聞き、恋しい相手がいなくなると思ってか、焦《あせ》ったのだろう。かえでを連れ妓楼から逃げてしまった。

「そうでなけりゃあ、今消えるのはおかしいよ」

どういう理由にせよ、今日の計画は大いに狂って、収まりがつかなくなってきていた。

「これじゃあ、せっかく手に入れた切手が、使えなくなる！」

楼主が歯ぎしりをしている。大門を閉めるとき、四郎兵衛会所では当然、切手の数を確認するはずだ。数が合わねば疑いが残る。今後切手の取り扱いは厳しくなるだろう。

「しかし、二人はどこへ行ったのかしら」

若だんなが腕組みをする。こんな風に突然座敷から消えるなぞ、行き当たりばったりな感じは拭《ぬぐ》えない。三之助はこの後、どうするつもりでかえでを連れ出したのか、見当がつかなかった。

「不味いな。もし強引に塀でも越えようとして、二人が若い者や地回りに見つかったら、大事になってしまう！」

藤兵衛の言葉に、皆が一斉に立ち上がった。三つに分かれ、かえでを捜すことにした。一方は若だんな達、もう一方は楼主と藤兵衛、残りは花岡花魁ともう一人の禿まつばで、これは多摩屋の座敷で連絡を待つ係だ。

「早く見つけなくては」

若だんなが二階の窓から外を見る。夜の吉原の町は明るく賑やかだったが、今宵は釣り針のように細くて心許《こころもと》ない月だったから、提灯や行灯《あんどん》の火から離れると、重く感じる程の濃い闇が広がっていた。

そのとき、道の先で何やら騒ぎがあるように見えた。遠いのではっきりとは分からない。

楼主と藤兵衛が、慌てて二階から降りていった。最後に残った若だんなも一旦《いったん》、廊下に出た。だが少し迷ったあと、花魁のいる部屋の内に戻る。

「若だんな、なにかありんしたか？」

問うてくる花魁から目を離し、隣にいる者を見る。禿のまつばが下を向いていた。

若だんなが静かに言った。

「ねえ、まつば、足抜けのこと三之助さんに知らせたのは、お前さんだね」

花岡や手代達から、小さな声が上がった。

「若だんな、どうしてまつばだと、言わしゃんすか」

花岡が問う。驚きが顔に張り付いている。

「こんなことをした理由は……そうだね、三之助さんとやらに同情したか。それともかえでばかり贔屓《ひいき》されるから、腹が立ったか」

まつばはずっと足抜けの話を聞いてきた。それを文にして、三之助に送るだけで済んだことだ。

それに。

「三之助をちょうど良いときに、隣の部屋に通すことは、なかなかむずかしい。かえでが着替えに隣室に入ってから、いなくなるまで、寸の間しかなかった」

隣に出入り出来て、なおかつ三之助を呼べた者は誰か。

「まつば、あのとき髪結いの道具を揃えていたお前さんなら、それが出来たはずだよ」

花岡花魁が呆然《ぼうぜん》としている。

そのときまつばが、さっと顔を上げると、若だんなを正面から見てきた。

「若だんな、多摩屋のしら玉という新造をご存じでありんすか」

いきなり聞いてくる。知らないと素直に答えると、代わりに花岡が返事をしていた。

「それは冬に亡《な》くなった、わちき付きの新造の名でありんす。まつばが姉と慕っておりんした」

「花魁はまだ名を覚えていてくだしゃんす。でも楼主はもう、名前一つ口にしいせん。新造が臥《ふ》せったときだとて、寮に行かせてくれもせず、医者すら呼ばれずでありんした」

それが普通だと、まつばにも分かっている。でも。

「かえでは違うんでありんす。あの子だけは、皆にこんなに庇《かば》ってもらえて……」

かえでが無理を言った訳ではない。それはまつばも承知だ。

「だけど、このままかえでを笑って送り出すことが、わっちには出来んせん。もしわっちが病になったら、しら玉さんと同じように、きっと放って置かれる。そうと分かっていんすから、なおさら……」

だから静かな水面に石を投げ入れるように、三之助という計画の邪魔者を、引き入れてしまったのだ。まつばはそれだけ言うと、また下を向いて黙り込んでしまった。花岡は泣きそうな顔になったまま、声もない。

そのとき、仁吉が若だんなを促した。

「我々も捜しに行きませんか。ここでその禿を責めたとて、事は良くなりません」

「……そうだね。花岡花魁の禿です。後はお任せします」

三人は階段を下り、多摩屋から出て行く。外の闇の中に出たとき、二階の窓からまつばが下を見ていることに気がついた。

6

夜の廓の中を、三人で急ぐ。どの見世の明かりも夜の暗さを押しのけ、座っている遊女達を美しく浮かび上がらせていた。

それを見繕う客達を避けながら、若だんならは先へ進む。もっともかえで達がどちらに行ったか、とんと分からない。とにかく先程騒がしかった方角へ向かった。

「三之助さんは吉原の客だ。廓の中を禿と歩いていても、別に咎《とが》められはしないよね？」

若だんなの問いに、佐助が首をひねる。

「さあ、どうでしょうねえ。吉原には見世ごとに、若い者という男達がいます。その他に、地回りや、鉄棒《かなぼう》引きという吉原夜回りもおります」

不審な者だと思われたら、不味《まず》いと言う。

「とりあえず、今はまだいいですよ。しかしかえでは大門から出られないし、夜九つには夜見世が終わります」

仁吉が眉を顰めている。

「その刻限になると、各見世は大戸を下ろし、廓の道からは客の姿が消えます」

夜回りが町を巡る時刻となる。この時禿と二人表をうろうろしていたら、間違いなく誰何《すいか》されると言う。そうと聞き、若だんなは走って探し回りたくなった。だが、これには兄や達が頑固に反対する。

「吉原に二度も来たんですよ。若だんなは疲れているに決まってます。止《や》めて下さい」

「あのねえ」

若だんなが文句を言おうとしたとき、近くの道を、男達が怖い顔をして走って行った。すぐに佐助が追っていき、後の方にいた男に訳を聞く。どうやら妙な二人連れがいて、地回りが話を聞きたいと、その者らを追いかけているらしい。

「かえで達が、目を付けられたのかな」

若だんなが不安げに言う。仁吉は眉間《みけん》に皺《しわ》を寄せていた。

「追われているのが誰にせよ、これで切手は使えなくなりましたね。騒ぎがあると会所も厳重になります。切手を持っていても、じっくり顔を見られ、かえでと分かったらそれまでです。大門は通れそうもないですよ」

「……参った」

一時は簡単だと思った足抜けが、どんどん無理に思えてくる。

そのうち徐々に、廓の中を走り回っている若い者の数が増えてきた。

「剣呑《けんのん》だねえ、不味いよねえ」

若だんなが思わず漏らした。佐助も、ため息をもらしている。

「若だんなをそろそろ多摩屋に戻さないと、体が冷えてしまいそうなのに」

佐助の言葉に、仁吉も頷《うなず》く。

「若だんな、確かに体が一番大事ですよ」

「二人とも、なに言うんだい。こんな時に、ゆっくり休める訳がなかろうにさ」

思わずきっぱりと言った。その時！

「おやあ、いました」

仁吉があっさりと言った。

ひょいと指さした先は、明かりの届きにくい、暗い壁際《ぎわ》であった。天水桶《てんすいおけ》の陰に身を潜めている者がいる。仁吉は妖《あやかし》ゆえに、目が良いので分かったようだ。

若だんなは、ほっと息をついた。辺りを見回しても、まだ鉄棒引きらも近くにはいない。

「でも参ったね。二人に声をかけるはいいが……それからどうしようか」

もう切手は怖くて使えない。だがこのまま二人を連れ多摩屋に戻ったら、元の手詰まり状態に戻るだけであった。しかも三之助が加わってきて、事は一層ややこしくなっている。

その時、結論を出したのは、なんと佐助だった。

「若だんな、仁吉、ごちゃごちゃ考えてもしょうがないですよ」

いろいろ思っても面倒が増すだけだ。しかも事が終わらないと、若だんなが気を揉《も》む。

「あたしが二人を、塀の内から廓《くるわ》の外へ放り投げるから、仁吉が受け取っておくれな。それで全部が終わるさ」

佐助があっさりと言うのを聞いて、若だんなが目を丸くした。

「佐助や、大丈夫かい？　廓の周りには堀が巡らしてあるみたいだよ」

「分かってます。鉄漿溝《おはぐろどぶ》ですね。なに、そいつも飛び越すくらい投げればいいだけの話で」

佐助はこともなげに言うし、確かに桁《けた》はずれて腕力の強い妖であれば、楽にやれるだろう。幸い今は夜で、月明かりがほとんど無いから、それも都合良かった。

しかし投げられる方にとっては、とんでもない経験となるに違いなかった。二人とも、人なのだから！

「いくらなんでも、ねえ……」

他に代案は思いつかないが、それでも躊躇《ちゅうちょ》してしまう。そのとき、近くの屋根から小声がした。猫が見下ろしてきている。

「若だんな、不味いですよ。鉄棒引き達がこっちへ来ます」

「おや、おしろ。お前さんまだいたのかい」

猫又は、事の次第を見届けるというより、単に若だんなが心配で、留まっていたようだ。もう時が無い。かえで達を佐助に投げてもらうかどうかを、早々に決めなければならない。若だんなは急いで隠れている二人に、声を掛けた。

「三之助さんだね。かえでも出ておいで」

二人に聞くと、地回りを見かけたので怖くなって逃げたら、追いかけてきたという。つまり己達からあやしい素振りを見せたので、目を付けられたのだ。

「三之助さん、かえでを勝手に連れ出したことについては、あれこれ言ったりはしません」

だからとにかく、足抜けの話は黙っているよう言ってから、若だんな達は顔を見合わせた。

「かえでが顔を見られたかもしれませんね」

佐助が渋い口調で言った。

「もう迷っている場合じゃあないか」

若だんなはため息をついて言った。

「決めたよ」

とにかく塀の外へ出すから、何があっても怖がらないよう二人に告げる。

「どうやるんです？」

三之助が問うのを、仁吉が止めさせた。

「詳しく話をしている間はないよ。若だんな、怖い顔の人たちが来てますよ」

仁吉の声が緊張している。

(仕方ない。まあ二人が余所《よそ》で、宙を飛んだと後から話しても、人は法螺話《ほらばなし》と思うだけさ。そのことは大丈夫だろう。あとはやってくる鉄棒引きを、どうやって遠ざけるかだな)

彼らに、佐助の人ならぬ怪力を見られるのは不味い。若だんなはちらりと道の先を見た。

「佐助、とにかく早く、二人を外に出しておくれ。頼んだよ」

そう言うなり！　若だんなは突然、陰になっている暗い場所から飛び出して走り出す。囮《おとり》になるつもりであった。

案の定、その焦《あせ》ったような姿を見つけ、何人かの男が後を追い始める。

「若だんな！」

兄や達は一寸《ちょっと》、唇を嚙《か》んだ。

「仕方ない」

佐助は二人をひっ摑《つか》むと、もの凄《すご》い勢いで塀際に連れてゆき、あっという間に外へ放り投げてしまった！

それからもう振り返りもせず、若だんなの行った方へ駆けだす。「ひえっ……」投げられた二人は、悲鳴すら直《す》ぐに消えて無くなる勢いで、塀の上を消えて行く。

「お待ちよ、まだ受け取る準備が出来ちゃあいないのに」

仁吉は忌々《いまいま》しそうに言いながらも、塀と堀を軽々と飛び越える。それからこれも風のような速さで、落ちてくる二人を取りに走った。

そのとき。

飛び出してから、ほんの二十間も行かぬ先の道の真ん中で、若だんなが倒れていた。何ごとがおこったのかと、周りに人垣ができている。

決心をつけて走り出したはいいが、ろくに行かぬ内に、目の前が真っ暗になってしまったのだ。心の臓があおっている。

(もしかしたら、かえでのものよりも、私の心の臓の方が、役立たずなのかもしれないね)

直ぐに佐助が駆け寄ってくる。横たわる若だんなを見ると、小さく悲鳴を上げた。

どこぞで休ませろ、医者はどこだと騒ぎ立てる。

おかげで衆目は若だんなに集まり、投げ飛ばされた二人を見たり、語ったりする者は誰もいなかった。一応当初の思惑通りに、無事にかえでは足抜けすることとなったのだ。

だが。

妓楼《ぎろう》に運び込まれた若だんなは、とてものこと、ほっと出来る心持ちでは無かった。これではきっと、無茶をしたと叱《しか》られる。また寝込むことになる。またまた親に心配をかける。

そんな考えに取っつかれていたからだ。

遠くから、藤兵衛が若だんなを呼ぶ声が、近づいて来ていた。

(かえでは無事に逃れたかな)

そう考えはしたものの、直ぐに若だんなには何も聞こえなくなった。

7

若だんなは吉原から帰ったのち、長崎屋の離れで、ずっと寝付いたままになってしまった。

　このところ寝込まずにいた分を、この一時に集めたかのように、長く長く熱が下がらない。喉《のど》が腫《は》れ、赤子の食べ物のようなものしか喉を通らなかった。

「げふっ、ごめんはさい……ごほっ」

　叱られた。嫌みも降ってきた。薬は特別仕立ての苦さになる。その果てに……若だんなは暫《しばら》くしてから漸《ようや》く、普通くらいの病人となった。眉間の皺が取れてきた兄や達が、少しずつ色々な話をしてくれるようになった。

「かえでのことですが、無事に旅して、医者の所に落ち着いたようです」

　仁吉にそう教えて貰《もら》った。今後の暮らしの掛かりは、今出屋が持つと決まったそうだ。三之助から反省の言葉を添え、多摩屋に話が行ったという。

「かえでの病、良くなるといいねえ」

　そう願うしかなかった。

　まつばは今も花岡の禿《かむろ》をしている。花魁《おいらん》と、どういう話をしたのか、それは伝わっては来なかった。

　そうして今度の一件も終わっていった。だがその中で、最もとんでもない目にあったのは、藤兵衛だった。藤兵衛は、おたえにこってり叱られるはめになったのだ。

若だんなが寝込むことになったのが、不味かった。不機嫌の塊となった兄や達が、藤兵衛の行為を、おたえに言いつけたからだ。

(兄や達を怒らせると、怖いねえ)

若だんなも実に大人しく、看病を受けている。

ある日素直に薬を飲んだら、佐助がにやりと笑って、聞かせてくれた話があった。

「今回の一件で、旦那《だんな》様はおかみさんに花岡花魁の名が知れることを、大層嫌がっておいでででした。覚えておいでですか？」

若だんなが頷く。

「ですがね、じつはおかみさんは花岡花魁のことを、とうにご存じだったのですよ」

若だんなが目を見開く。知っていて、黙っていたということだろうか。

「……おっかさんはおとっつぁんのこと、好きなんだよねえ？」

「それはもう」

「花魁のことを、怒らなかったの？　嫌だとおとっつぁんに言ってはいないよね」

「はい」

「……？　よく分からないよ」

若だんながこぼすと、枕元《まくらもと》で兄やが笑っている。

「おかみさんには旦那様のお気持ちが、分かっているからでしょうか。だから我々も、気軽におかみさんに、あれこれ言えるのですよ」

「そうなんだ」

この世にある人の気持ちは、百万の不思議に思える。

金の亡者《もうじゃ》と言われている妓楼の楼主が、金よりも遊女を取った。

禿が姉妹のような子に、酷《ひど》いと己で承知しながらも、理不尽なことをした。

落ち着いていると見えたかえでは、それはそれは死を怖がっていた。

母は父にお灸《きゅう》をすえたが、それは若だんなのことについてで……花魁のことは今も黙っている。

「どうしてかしら……」

人の思いは不可思議だ。若だんなに分からぬ時もある。だが時として胸の内が騒ぐ。日々と共に忘れてゆくその心を、留めたくなる。何かが苦しいほどに、気持ちを揺らすからだ。

「どうしてなんだろう……」

佐助が若だんなの額にそっと手をあてて、熱を測った。

おまけのこ

1

「ぎゅわーっ……！」

甲高い悲鳴が、廻船《かいせん》問屋兼薬種《やくしゅ》問屋、長崎屋の中庭に響き渡った。

店表《みせおもて》にいた者達も、奥の間や台所で働いていた者達も、一斉に手を止め顔を見合わせる。直《す》ぐに何人かの奉公人が、店奥の中庭に走り出ていった。

長崎屋は大店《おおだな》だが、店は江戸でも指折りの繁華な通町《とおりちょう》にあるから土地は貴重で、中庭はさほど広くない。よって離れや土蔵の辺りを確認するには、数人で手が足りた。母屋《おもや》から若だんなの一太郎《いちたろう》も顔を出し、その様子を不安げな顔で見ている。

程なく、土蔵と塀に囲まれた、狭い場所に踏み込んだ奉公人の口から、鋭い声が上がった。

「誰かっ。人が倒れてる！」

両の手を広げ、地面に抱きつくようにうつぶせになっていたのは、小柄で若い男だった。

「こりゃ、天城屋《あまぎや》さんのお連れじゃないか。八介《はちすけ》さんと言ったかね。確か櫛《くし》職人だよ」

「ちょいとお前さん、大丈夫かい？」

奉公人らが声をかけたが返事がない。そこに、薬種問屋から手代の仁吉《にきち》が走ってきて、倒れている八介の胸に耳を当てた。すぐに小僧に、長崎屋かかりつけの名医、源信《げんしん》を呼びにやらせる。ぴくりともしないが、八介は息をしているようであった。

だが八介を見下ろす皆の顔つきは、強《こわ》ばっている。否応《いやおう》もなく目に入ったものがあるのだ。八介の頭部、月代《さかやき》の真ん中辺りに、何かで強く殴られたかのような痕《あと》が、赤黒く付いていた。

廻船問屋兼薬種問屋、長崎屋は、近江や伊勢、大坂の大商人の店のように、本店《ほんだな》を上方に持った上で、こちらは大番頭などにやらせている江戸店とは違う。江戸に住まう者が開いた店だから、主《あるじ》と家族が店の奥で暮らしていた。中庭には、跡取りの若だんな、一太郎が寝起きする離れもあった。

その離れは元々、先代の隠居所だったところだ。今は病弱な若だんなの他に、兄《にい》やである手代二人が寝起きしているだけであった。なのに離れからは、時折賑《にぎ》やかな声が聞こえてきたりする。不可思議な事だと、使用人らがたまに噂《うわさ》をしていた。

そのことについて、長崎屋には余所《よそ》に語れぬ事情があった。

実は若だんなは、齢《よわい》三千年の大妖《たいよう》である祖母皮衣《かわごろも》の血を引いており、その生まれのせいで妖《あやかし》を見ることができるのだ。そんな若だんなの元には、日々妖どもが集ってくる。若だんなに甘え、喧嘩《けんか》をし、飲み食いをして騒ぐものだから、長崎屋の離れは賑やかなのだ。

長崎屋に巣くう妖で一番数が多いのは、何といっても家を軋《きし》ませる妖の鳴家《やなり》だ。軒や廊下が軋むような音をたてたら、それは鳴家の仕業であった。

今日もその内の一匹が、ぎしぎしと独り言を言いながら、店奥の廊下を歩いていた。離れから廻船問屋長崎屋へと向かっているところであった。

「ほんに珍しい。若だんなが廻船問屋の方で、お仕事なんて」

病の時に飲ませる薬を集めている内に、薬種問屋長崎屋が出来てしまったほど若だんなは体が弱い。だから体調が良いので働くといっても、父親の藤兵衛《とうべえ》と共に、来客の相手をするだけの話だった。

だが、それでも久方ぶりのことには違いない。離れから母屋へ歩いた若だんなが疲れ果てて、廊下の途中で倒れてはいまいかと、鳴家はいささか心配しながら、藤兵衛の居間へ歩を進めていた。

廻船問屋に向かうのは、勿論《もちろん》若だんなを気遣ってのことだが……実は他にも目当てがあった。来客が持参したであろう菓子だ。

長崎屋へ来る客は大概、若だんなが寝付いてばかりだと承知していて、見舞いの品を欠かさない。若だんながたまに元気にしている時ですら、養生になるとかいって甘味を持ってくるのだ。そうすれば跡取り息子に大甘な、長崎屋藤兵衛が喜ぶと承知しているからで、その数は若だんなのため息と共に、増える一方であった。

客が帰れば菓子は下げられ、若だんなが離れで妖達に分けてくれる。だが、もらい物は数が限られる。競争相手が多いので、鳴家は最近仲間に菓子を取られ、食べ損ねていた。今日こそは先んじて食べたいと、母屋まで取りに来たのだ。

鳴家は人に姿が見えない妖なので、黙っていれば奉公人らに見つかることはない。無事藤兵衛の居間の前にたどり着くと、部屋の隅から入り込んだ。

途中で倒れもせず父親の隣に座っていた若だんなが、直ぐに鳴家の姿を目に留めて、驚いた顔をした。だが婿《むこ》養子で皮衣の血を引かぬ藤兵衛は、妖にはとんと気付きもせず、恰幅《かっぷく》のよい商人とにこやかに話を続けている。

(菓子はどこだ？　見あたらないよ)

鳴家がきょろきょろとしている横で、藤兵衛は懐《ふところ》から、小さな臙脂《えんじ》色の天鵞絨《ビロード》の袋を取り出し、天城屋さんと呼んだ客に手渡した。

「これを運んだ常磐《ときわ》丸が、間に合うように江戸に帰ってこられて、ようございました。今月の末には、お嬢さんのご婚礼ですからねえ」

「ほんに有り難い。おふさの母親には苦労ばかりかけ、あげく、まだ店が小さく報いてやれぬうちに、死なせてしまいました。だから娘だけは先々まで、暮らしに困らぬようしてやりたくてね」

そう言って天城屋が、渡された袋から取り出したのは、月の光を丸く小さく固めたような、それは美しいものであった。白くて、ふわりと柔らかく光っている。まだ昼間なのに、部屋の内に月が現れたかのようだ。

(もしかして部屋の内に入ると、お月様の光はあんな風に、綺麗《きれい》な玉になるのかな)

見たとたん、鳴家は菓子のことなど、すっかり忘れてしまった。小さな胸はその美しさに驚いたかのように、どきどきと鳴りだす。藤兵衛達に聞こえるのではと、思わず手で胸を押さえたほどだ。だが二人は鳴家の方を見る気振《けぶ》りもなく、白い輝きを前に満足げに頷《うなず》いたあと、話を続けた。

「長崎屋さんには、大粒の玉を手に入る限り急いで集めてくれ、などと頼みまして、お手数をおかけしました」

そんな依頼をしたのは、己の心配性のせいだと天城屋は笑う。この世には怖いものが多すぎるのだ。例えば病だ。火事だ。人のねたみだ。金だ。

なのに嫁にやったら、大事なおふさを側《そば》で守ってやれなくなる。その上先々、天城屋が先に身罷《みまか》ったら、誰がおふさを気にかけてくれるのかと、本気で心配しているらしい。

「分かります。私には分かりますよ、その気持ち。子供のことはいつでも、子が幾つになっても心配ですよねえ。ええ、そうですとも」

「これは嬉《うれ》しいこと。長崎屋さんは、私の気持ちを察して下さいますか」

意見を同じくした天城屋と長崎屋藤兵衛は、お互い手を取りあわんばかりだ。隣で若だんなが、目を天井に向け、ため息を嚙《か》み殺している。天城屋はにこにことしながら、勢い込んで話しだした。

「病になれば医者にかかるしかないが、それには結構な金子《きんす》が要りようです。己では用心しても、貰《もら》い火までは止められない。それで、この玉を娘に持たせようと、思いついたのですよ。こういう玉には流行《はや》り廃《すた》りが少ない。何があってもこれだけの品を持っていれば、売り払って、とりあえず要りような金を用意できるでしょうから」

「天城屋さんのご心配も、もっともで。先月など、小火《ぼや》も入れると十日の内半分もの日、どこぞで火事が起こっていましたからね」

この話は鳴家も耳にしていた。あの頃は仁吉達が、風向きにぴりぴり気を尖《とが》らせていた。ひとたび大火になれば、土蔵作りの大店だとて、あっという間に火に呑《の》まれる。火が家に移ったら、鳴家達は軒づたいに逃げるしかない。若だんなは夜着《よぎ》に簀《す》巻きにされ、問答無用で兄や達に担《かつ》ぎ出されることになる。それなりの商家の者が焼け出され、一文無しになったという話が、火事の後、若だんなが買ったよみうりに載っていた。

「実はね、長崎屋さん、今日連れてきました職人の八介に、この玉を嵌《は》め込む櫛を、作ってもらっているのです」

火事になれば、身一つで逃げるしかないときもあるだろう。だが櫛であれば、いつも頭に挿《さ》しているから残るはずだ。鳴家はその話を聞き、目をぱちくりした。

(お月様を頭に飾るのか)

大層美しい櫛になるに違いない。藤兵衛が軽く膝《ひざ》を打った。

「玉で櫛を飾るのですか。それは面白い考えだ。ああ、その飾りに加えるために、八介さんは店表で今、珊瑚玉《さんごだま》を見ているんですね」

「だが遠慮しているのか、おふさは華やかな櫛など、必要ないというんですよ。それで、見かけは派手にせず、毎日挿していられるようなものをと八介に頼んだのです。八介は今回の櫛の細工、張り切っていまして、色々使いたいようだったが、珊瑚のごく小さなものを添えるくらいにして欲しいと言いました」

話している途中で、天城屋が月の玉が入った小袋を、持っていた合財袋《がっさいぶくろ》に入れ己の横に置いた。鳴家はさっと袋に近寄ると、巾着状《きんちゃく》にしぼられた口から入り込む。滑らかな生地の小袋を探し出し、開けてみた。中には鳴家の拳《こぶし》ほどの美しい玉が並んでいた。

(これだ。お月様の光、そのものだよ)

合財袋の口から入り込む僅《わず》かな明かりの中で見ても、ふわりと白く輝いている。ところがそのとき、突然袋の中からつまみ出されてしまう。袂《たもと》の中に入れられたので、首を伸ばして外を見てみれば、若だんなであった。藤兵衛に断ると、若だんなは部屋から急いで廊下に出た。角で立ち止まった若だんなは、鳴家を袖《そで》から出すと小声で叱った。

「これ、駄目だよ。お客様の大切な袋に、いたずらしちゃあ」

鳴家は、頬を膨らませて抗議をした。

「だって若だんな、菓子が欲しくて来たら、居間でそりゃあ綺麗な、お月様の玉を見たんです。我はあれが好きで好きで」

「おやお前さん、あれをお月様の玉と言うのかい？　うん、とても綺麗だよね。月が好きなら……さっき天城屋さんにいただいた、『月と兎《うさぎ》』をあげようかね。ただ、もうお客人の前に出てはいけないよ。見つかったらどうするんだい」

「お月様を我に下さるんで？」

こんな嬉しい話になるとは思わなかった。思い切りにこにこしていたら、若だんなが鳴家をちょいと廊下に立たせ、懐紙にくるんだものを、手に抱えさせた。

「これを持って一旦《いったん》、離れへ帰ってなさい」

「これがお月様ですか？」

何だかさっき見た物より、随分と大きくなった気がする。一抱えもあるではないか。しかし若だんながそうだと言うのなら、間違いはない。そのとき、若だんなの背中越しに、声がかかった。

「若だんな、こんなところで独り言を言って、どうしたんですか？　もしかして具合が悪いとか」

心配げな声をかけてきたのは、若だんなの腹違いの兄、松之助だ。以前の奉公先が火事で燃えてしまったそうで、長崎屋に引き取られ、手代として奉公している。若だんなは長崎屋でただ一人、若だんなを甘やかし過ぎないこの兄と、仲が良かった。

ただこの松之助も、妖の血は引いていないので、鳴家達を見ることは出来ない。それで若だんなは時々、言葉に詰まっている。

「いえね、えーっ、その、そうだ、天城屋さんに美味《おい》しいお饅頭《まんじゅう》を貰ったんだ。そのお味見をこっそりと、ね」

「それならお客がおいでの部屋で食べても、旦那様《だんな》はしかったりしませんよ。食が進むと、喜ばれるくらいです」

「あれまあ、そうかしら」

松之助は笑っている。若だんなは貰った菓子を松之助に食べて欲しいと言って、紙袋を袖から出した。松之助はそういうときは何故《なぜ》だか、いつも遠慮する。今も困ったような顔をしている。

（どうしてかな。お菓子は美味しいのに）

鳴家は首を傾《かし》げつつ、皆にも月を見せようとその場を離れた。離れでは来客の気配を感じたのか、屏風《びょうぶ》のぞきや他の鳴家達が、寝間に姿を現していた。

「見ておくれな。我は店表で、お月様を見つけたんだよ」

そう言って颯爽《さっそう》と部屋に入ると、皆が顔を向けてきた。

「お月様って、空にある、あのお月様かい？」

「そうだとも。凄《すご》いだろう」

「それは凄い、凄い！」

仲間に褒められ、鳴家は誇らしげに小さな胸を反らした。それからしずしずと貰った懐紙を広げると、それを皆が一斉に覗《のぞ》き込む。真っ白いものが、紙の上にその姿を現した。

「……あれれ？」

沈黙が広がる。

それもその筈《はず》で、懐紙の真ん中にあるものは、確かに白くて丸いのだが……不思議なほど、いつもの饅頭とそっくりだったのだ。

いや、確かにその白くて丸いものの真ん中には、兎の姿がある。しかし饅頭に焼きごてで、兎の形を押し当てたようにしか見えないし、甘い香りまでしているではないか。

「さっき我が見たのと、随分違うような」

鳴家は真剣に首を傾げた。そうしているうちに、横から手が伸びてきて、『月と兎』をひょいとつまみ上げ……ぱくりと半分、囓《かじ》ってしまったのだ！

「何をするんだ！　食べてしまった。屏風のぞきが、お月様を食べてしまった！」

鳴家が屏風のぞきに小さな拳を振り上げたが、相手は気にもしていない様子だ。その場にいた他の鳴家達がびっくりした顔で、二人を見つめている。

「どうしよう、我のせいだ。我のせいで、お月様が食べられてしまった。空の上からお月様が消えてしまうよ」

開けはなった障子の向こうに見える空に、月は出ていない。まだ昼間だからか。それとも雲が隠しているのか。いや、やっぱり食べられたから、無くなったのかもしれない……。

鳴家は途方に暮れ、目に涙を浮かべて座り込んでしまった。泣きべそをかいている鳴家に向かって、屏風のぞきがわざとらしい大きなため息をつく。

「お前さんさぁ、こいつのどこが月なのさ。見てごらんな、こりゃあ上等の饅頭だよ」

半分齧った『月と兎』を、目の前に突きだしてくる。手にとって見れば、確かに餡《あん》子《こ》が入っていた。鳴家も少し食べてみたら……甘い。

「でも……若だんなは確かにこれが、『月と兎』だと言ったのに」

「そういう名前の菓子なんだろうさ。お前さん、馬鹿《ばか》だねえ。ほんと鳴家なんてうるさくて、おまけに、役に立ちゃあしないよ」

はっきり見下すように言われ、鳴家はまた泣きそうになった。嘘《うそ》はついていない。今し方、確かに居間で月の光の玉を見たのだ。鳴家はだんだんと顔を赤くし、涙を振り払うと足を踏ん張った。

「我は役立たずじゃないわ。本当にお月様は長崎屋の中にあったんだから。我が取り戻してくる。見ていろや、屏風のぞき！」

そう言い置くと、待っているよう言われた離れから、鳴家はまた飛び出してしまう。半分になった饅頭を、腰の紐に挟んだままだった。

2

ぱたぱたぱたぱた。鳴家がごく小さな足音をさせながら、廊下を急ぐ。居間に戻る気であった。月の玉はあの部屋にあったのだ。

　ところが鳴家《やなり》が行き着く少し前に、目当ての部屋の障子が開いて、中から地味な絣《かすり》の着物を着た、見たことのない若い男が出てきた。部屋の中に向かって丁寧に頭を下げると、廻船問屋の方へ向かう。その時鳴家が目を見開いた。男はその手に、あの小さな天鵞絨《ビロード》の袋を持っていたのだ。

（あれれ、ありゃあ、お月様の入った袋だよ。何であいつが……）

　客の天城屋でも、主人の藤兵衛でも若だんなでもない者が、大切な袋を手にしていることが、腑《ふ》に落ちない。鳴家はぎしぎしと軋《きし》むような低い声をあげると、廊下を走って男の後を追った。若い男はただ歩いているのだが、鳴家にとっては必死の大追跡となる。

　男は廊下で長崎屋の奉公人とすれ違ったとき、八介さんと呼ばれた。

（あれ、天城屋というお客が連れてきた、櫛《くし》職人の名前じゃないか）

　確か店表の方で、珊瑚玉を見ているという話であった。あの袋に入っている月の玉は、櫛の飾りに使うのだ。店表で選んだ珊瑚と合わせてみるために、八介は天城屋から、玉の入った袋を借りたのかもしれない。

　ここまで察しをつけたとき、鳴家は己を大層賢く感じて、にかっと笑った。

(屛風のぞきじゃ、こんな風に思いっきはしないさ。あいつは威張ってばかりだもの)

ところがその時八介が突然、辺りを見回したあと、廊下から店表とは反対方向の中庭に降りた。そのまま塀の方へ向かう。

(あれれれ、どこに行くんだろ。我の考えは違ってたのかしら)

鳴家は慌《あわ》てて後を付いていった。八介は一の蔵と塀に挟まれた狭い場所に入っていく。そんなところで何をする気かと、鳴家が首を傾げたとき、もう一つの足音が後ろから密《ひそ》やかに近づいてきた。

狭い場所だ。後から来た者に蹴飛《けと》ばされてはかなわない。鳴家は素早く土蔵の庇《ひさし》に登った。八介たちを見下ろしたとき、二人は近寄って小声で話をしていた。後から来た者は、手ぬぐいですぽりと頭を被《おお》っていて、誰だか分からない。

(はて、どうしてわざわざ、こんなところで会うんだろう。お日様があたらないよ。寒いよ。店で話せばいいじゃないか)

もっとよく話を聞こうと首を伸ばすが、庇にいては無理だ。鳴家がもっと下に降りようとしている間に、小声で話していた八介が、急に声を荒げだした。

「騙《だま》す気か！」

どうしたのだろうか、声が鋭い。怒鳴るような響きに、思わず鳴家が身をすくめた。

その時！

いつの間に手にしていたのか、あとから来た者が、ごつい火吹き竹を振り上げた。

それで八介の頭を、思い切り殴りつける。

（ひっ……）

鈍い音と共に八介が倒れる。声もなかった。その手から天鵞絨の小袋が落ちた。火吹き竹を持った者が、小袋の方を向いている。あの者は月の玉を、全部奪うつもりなのだ。

（あ……ああっ）

鳴家は転がり落ちるようにして、必死で地面に降り立った。そして小袋に飛びつく。月の玉を守らなくてはならない！　絶対に目の前の恐ろしい者に、渡してはならない！

火吹き竹を放り出した手が、小袋に伸びてくる。

中庭に、鳴家の甲高い悲鳴が響き渡った。

3

若だんなをはじめ、長崎屋の者達と客の天城屋が、廻船問屋長崎屋の店奥に集まっていた。

開けはなって二間続きにした部屋の端には、長崎屋に出入りの者達が三人、藤兵衛達と向かい合うようにして座っている。それぞれ何とも居心地の悪そうな表情を浮かべ、お互いをちらりと見たりしていた。

そこに長崎屋のかかりつけの医者源信が、隣室から顔を出し、藤兵衛に何やら告げる。藤兵衛の顔つきが少しばかり緩んだ。

「倒れていた八介さんの様子は、少し落ち着いたようだ。だけど頭を酷《ひど》く殴られているからね、まだ気がつかないし、油断は出来ないみたいだよ。酷いことをする奴《やつ》がいるもんだ」

そこまで話したとき、横に座っていた天城屋が口を挟んだ。

「私は日本橋の北で油問屋をやっている、天城屋という者だ。無くなった玉の持ち主なんだよ。誰が盗《と》ったか分からないが、素直に返しちゃくれないかね。娘の婚礼の時に持たせる品なんだよ。あれのせいで罪人が出たんじゃ験《げん》が悪い。品物さえ返してくれれば、玉を盗んだことはとやかくいわない。八介さんが目を覚ませば、ことを穏便に済ませることもできるかもしれない。だから……」

必死の訴えを聞かされることになったのは、向かいにいる三人で、それぞれ所用があって長崎屋に来ていた者達だ。まず、小間物屋の直次が口を開いた。

「そんなことを急に言われたって、あたしには、そいつがどんな玉かも分かりませんよ。盗っちゃあいないんだから、そう言うしかない。いつものように、長崎からの珍《めずら》かな荷を買いに来ただけなんでさあ。そりゃあ、あたしが買うのは、船の余った場所に突っ込まれた、安い小間物ばかりだ。でもだからって、いきなり罪人扱いは酷いじゃないですか」

直次は唇を尖《とが》らせている。その横で不機嫌そうに眉根《まゆね》を寄せたのは、髪結いのおていだ。

「あたしだって、いつものようにおかみさんの髪を結いに来ただけ。玉にも天城屋さんにも、関係ないですよ。なのに、なんですか」

おかみのおたえに泣きつきたいところだろうが、こういう席におたえが顔を出すことはないから、おていは声を小さくするしかない。最後に喋《しゃべ》ったのは磯吉で、これは長崎屋に蠟燭《ろうそく》などを収めている三沢屋の手代だ。身を小さくして、畳に向かうようにして話している。

「あのぉ、どうしてあたし達が……あたしが、この席に呼ばれたのでしょうか。ご注文の品物を持ってきただけなのですが」

ものの言いように不満が込められていた。集められた三人が、奉公人でない者ばかりだからだろう。長崎屋は余所《よそ》の者に、罪を被《き》せようとしていると、受け取ったのかもしれない。ここで若だんなが、静かに話し出した。

「いえね、中庭で悲鳴が上がったときに、店表で皆と一緒にいたり、台所で揃《そろ》って炊事をしていた者達は、省いてあるのさ。一人でいたり、所在のはっきりしなかった奉公人達の数は少なかったし、もう先に体をあらためさせてもらっている」

髪の中や、店の二階の寝間にある荷物まで調べたと聞いて、三人が黙った。

「玉は出てこなかった。それにねえ、長崎屋の者が玉を盗ろうと思い立ったのなら、他に機会はあったはずなんだ。八介さんを殺しかねないほど殴って奪わなくともさ。玉が店に運ばれたのは、一昨日だからね」

そのあと昨日、天城屋に使いを出し、今日主人の訪問となったわけだ。玉は高価だが、廻船問屋長崎屋では、他にも高直《こうじき》なものを多く扱っている。玉が特別に扱われた訳ではなく、いつものように土蔵に収められていた。

その後、他の品物が来て土蔵が開けられたことも、何度かあった。人殺しをするより余程盗みやすい機会が、奉公人らにはあったのだ。

「だから私には、今日しか好機の無かった者が、八介さんを殴って玉を手に入れたとしか思えないんだ。だけど勿論《もちろん》、奥へは入れないお客方は犯人じゃない。それ以外の者だ。手間をかけて悪いけど、お前さんたちに残ってもらったのは、そういう訳なんだよ」

さらりとそう述べた若だんなに、天城屋が驚いたような顔を向けてきた。何しろ隣町のそのまた先まで鳴り響いているのは、若だんなは体が弱いという話ばかり。寝込んでいないときの若だんなの様子を知ると、皆、知らぬ者でも見たような表情を浮かべるのだ。

「怪我人《けがにん》も出ている。このままで済ませることは出来ないんだ。三人にはすまないが、持ち物と体をあらためさせてもらうよ。よろしく頼む」

藤兵衛が若だんなの話を締めくくるかのように、やんわり丁寧に言った。出入り先の大店《おおだな》の主人の頼みだ、まだ不満はあるのだろうが、誰も逆らえない。三人は諦《あきら》めたような顔で隣室に消えた。

三人が戻るまで、しばし待たねばならない。そのとき若だんなが父親に断って席を立ち、廊下に出た。二人の手代が示し合わせていたかのようにあとに続く。三人は人のいない端の部屋に入り込み、まず佐助《さすけ》が口を開いた。

「今回消えたのは琉球《りゅうきゅう》の海で取れるという、特別大きな真珠玉です。しかも十一個も。三人の体をあらためたら、出てくるでしょうかね」

「無理だろうね。あの三人の内に犯人がいるなら、持ってやしないさ。とっくにどこぞへ隠しただろう。盗みが見つかったら、首が飛ぶほど高直なものなんだから」

仁吉の言葉に、佐助が考え込んでいる。

「簡単に言うけど、皆、この店の者じゃなし……どこに隠すんだい？」

今まで三人は、長崎屋にしょっちゅう出入りしていた。しかし、今度の騒ぎで疑われたのだ。もしかしたら今日限り、店奥には入れなくなるかもしれない。仁吉が唸《うな》った。

「確かに店の内に、玉を隠したとは思いにくいですよねえ」

そのとき若だんなが、「こんな考えもあるよ」と言いだした。

「あのね、もしかしたら……玉は犯人が隠したんじゃないかもしれない。私は、鳴家がこの話に一枚噛《か》んでると、思っているんだ。だから今は鳴家が、玉を持っている気がするんだよ」

「鳴家？」

思わぬ名が出てきて、兄《にい》や達はきょとんとしている。若だんなは今日、離れから廻船問屋に出張ってきた鳴家が、玉を見て月に例え、大層気に入っていたと伝えた。

「それにさっき聞こえた悲鳴、あれ、八介さんじゃなくて、鳴家の声だろう？」

「ああ、そう言えば、甲高くてしわがれた、変な声でしたが」

「人は『ぎゅわーっ』なんて叫ばないよ」

「おや、そうなんですか」

もういい加減長い間、人の姿を取っているくせに、妖《あやかし》である仁吉は、妙なところが人とずれている。

「二人とも、考えてみておくれな。八介さんが居間から玉を持って出て、いくらもしない内に、庭から鳴家の悲鳴が聞こえたんだ」

そのすぐあと、土蔵脇《わき》で倒れている八介が見つかっている。ということは、八介が殴られたのを見て、鳴家が悲鳴を上げたと思える。

「でもさっき、鳴家達を集めて聞いてみても、誰も八介が殴られるのを見たと言わないんだ。つまり長崎屋から、肝心の鳴家が一匹消えてるのさ。そして玉も同じ時に消えてる」

一緒に消えた……つまり鳴家は、八介を殴った者に玉を取られそうになり、持って逃げたのだ。

「なるほど、そういうことですか。それでその鳴家は今どこに？」

佐助が問う。三人は顔を見合わせ……若だんなが首を振った。仁吉が話を纏《まと》める。

「ここで考えていても、分かることじゃないでしょう。まず、事が起こった一番蔵の横へ行ってみませんか」

八介が殴られ、玉が消えた場所へ。

三人は中庭へ出ていった。

4

鳴家の体が、ふわりと舞い上がった。

土蔵脇から、天鵞絨の小袋と共に空を飛び、長崎屋の塀を下に見ながら、先へ先へと吹っ飛んでゆく。風に乗ってしまった。長崎屋の店が、小さくなってゆくではないか。

「たひゅけてーっ」

思い切り叫んだが、土蔵の姿すら遠ざかっていて、誰かが聞きつけてくれた様子もない。鳴家《やなり》はそれでも、しっかりと小袋を摑《つか》んだままでいた。

八介を殴った者に、月の玉を奪われそうになった。追いつめられ、鳴家はその手に思いっきり噛みついたのだ。小鬼だから、その歯は鋭い。痛かったのだろう、縞《しま》の着物を着た者は死にものぐるいで手を振り払ったのだ。

そして鳴家は飛んだ。

空と屋根と日と地面が入れ替わり、何が何だか分からない。しかも、ずっと飛んでいることは出来ないらしく、じきに真っ逆さまに落ち始めた。だんだん……もの凄《すご》く早く、頭から地面に突っ込んでゆく。

(もう駄目だ、死んじゃうよっ)

その時！　鳴家は頭からざぶんと、水の中に突っ込んでいた。

「ぎゅぽっ……ぎゅべらぐぶくうううっ」

恐ろしいことに、周り中、水だらけであった。もしかして、話に聞く海にまで飛ばされたのだろうか。

おまけに、青ざめるような事実に鳴家は直面していた。溺《おぼ》れかけていたのだ。今、この時まで気にしたこともなかったが、己は泳げないらしい。水面にすら浮かび上がれない。水を飲み込んでしまい酷く苦しい。

その上もがいている間も、鳴家は泳げぬことが悔しくてたまらなかった。これでは本体が紙で出来ていて泳げぬ屏風《びょうぶ》のぞきと、変わらないではないか。

「お前さん、ちびのお前さん」

そのとき、側で聞き慣れぬ声がした。水の中で必死に横を向くと、目の前に鈍く光る鱗《うろこ》の壁があった。

「水が甘い。何を持っているんだい？　それをくれぬか？」

相手は魚だった。鯉《こい》だ。大きくて大きくて大きい。青光りするその堂々たる姿は、川の主《ぬし》のようであった。鳴家は主に言われて気がついた。腰ひもに『月と兎《うさぎ》』の囓《かじ》りかけを挟んでいたのだ。

「ひゃるよっ……がぼぼっ……ひゃるから」

言いながら水に沈んでいってしまう。それを主がひょいと頭の辺りに乗せ、水面に出してくれた。

「げひゅっ、げひょっ」

水を吐いたら、目の前が明るくなってきた。その間に、主は流れに浮いている欠け椀《わん》を見つけ、中に鳴家を放り込んでくれた。

「た、助かった……のかな」

それでもとにかく、小袋だけは離さないでいた。鳴家は急いで腰紐《こしひも》から饅頭《まんじゅう》を抜き、礼の言葉と共に水面に放り投げる。主はそれをひと呑《の》みにした。

「美味」

主が笑うと、水面が震えて幾つもの細波《さざなみ》が立った。大きな姿はゆるりと水底に帰っていく。鳴家は、ほっと息をついた。

「で……ここはどこかな」

やっと一息つき、流されている椀の中から外を見てみた。川幅は呆《あき》れるほど広い。こんなに大きな川が、お江戸にあったことに驚く。一体何という川なのだろう。もしかしたら鳴家は風に乗って、外《と》つ国《くに》にまで飛ばされたのだろうか。見上げれば空さえいつにも増して高く遠く、椀が揺れるたびに世の中の全《すべ》てが、共にぐらぐらとする。

ここは鳴家の知らない場所のようだ。若だんなに頼まれて、余所へ出かけたことはあるが、それは皆と共に動いたのだし、帰り道も知っていた。待っている若だんなもいた。

だが今、鳴家は一人きりだった。

「それに……この椀の舟には、櫂《かい》が無いじゃないか」

一層心許《こころもと》なさが募る。たとえ屏風のぞきでもいい、側《そば》にいて欲しいと、ちょっぴり思ってしまった。

「きゅわわわーっ」

鳴いてみた。だが返事は来ない。声は広い水面をすべってゆくだけで、消えてしまう。誰も、どこにもいないのだろうか。それでも、また鳴いた。鳴くしか出来ることがなかった。

不意に、鳴家は声を途切れさせる。鳴家の声とは似ても似つかない、水底から響くような音が聞こえてきたのだ。不安をかき立てる音だった。近づいてくる。

「何だか、怖いような……」

先に、何があるのだろうか。急な流れになったら、小さな椀はひっくり返るかもしれない。鳴家は益々不安を募らせて、椀の中でひしと小袋を抱きしめていた。

5

「いったい、どうして八介さんは、こんな場所に来たんだろうね」

若だんなが首を傾《かし》げながら、二人の兄やに聞いた。八介が倒れていた土蔵と塀の間は、狭く日も当たらず、およそ気持ちがよい場所とは言い難い。

「ここには奉公人ですら、草むしりか掃除でもなけりゃ来ないでしょうねえ」

佐助が言えば、仁吉も頷《うなず》く。

「こんなところにわざわざ来たんだ。八介さんには、人目につきたくない用があったんでしょうよ」

「用ってなんだい？　万に一つ、八介さんが玉を盗もうとしたとしても、それなら天城屋さんの使いだと言って、店表から外に出て逃げれば済むことだし。店の奥へ入り込む必要はないよ」

若だんなの言葉に、二人が考え込む。そのとき若だんなが小さく「くしゅっ」と、くしゃみをしたからたまらない。すぐに佐助が、ここは日陰で体が冷えると言いだした。仁吉が若だんなの首に、毛織物の細長い布を巻き付けようとする。真冬じゃあるまいしと、若だんなが逃げる。だが二対一だから、すぐにつかまってしまった。だがそのとき若だんなの下駄《げた》が、何かを蹴飛《けと》ばした。

「あれ、今、光るものを蹴ったよ」

若だんなを小脇に抱えたままの佐助がしゃがみ込み、すぐに光の元を拾い上げる。

濃い緑色をしていた。

「驚いた、それ、翡翠《ひすい》じゃないのかい？」

襟元に布をぐるぐると巻きつけられた若だんなが、目を見開いて問う。兄や達も玉をじっと見て……じきに揃《そろ》って笑い出した。

「やれ、お騒がせな代物《しろもの》だ。こりゃあ、ただのビードロ玉ですよ」

「えっ？　大層綺麗《きれい》だけど、それがビードロなのかい？」

若だんなは緑色の玉を手に乗せて貰《もら》った。横から見てみれば、丸い品は半透明で、確かにビードロだった。だが底に薄く銀の箔《はく》が貼《は》り付けてあり、それで真上から見ると、濃いビードロ玉が翡翠のように美しく見えるのだ。傷もなく、まだ新しい品だった。

「こりゃあ面白い工夫だ。初めて見たよ」

長崎から仕入れた品物が、土蔵に運び込まれた時に落ちたのかと、廻船問屋長崎屋の手代である佐助に問う。だが佐助は、あっさりと首を振った。こういう品を扱ったことは無いという。勿論《もちろん》薬種問屋の方とは、関係がない。おかみのおたえのものであれば、本物の翡翠であるはずだからこれも違う。

「他にこういうものを欲しがるといったら、女中達だけど、どうかねえ」

銀貼りのビードロは凝った作りで、ただのビードロよりは値が張りそうな品であった。こんなものが付いた櫛《くし》とか簪《かんざし》を買った女中がいたら、かしましい噂《うわさ》話が長崎屋を駆けめぐり、とっくに離れまで聞こえていそうだ。

「店の品物でも誰ぞの持ち物でもないものが、庭に転がっていたんなら、奇妙な話ですね。しかも八介さんが倒れていた場所に落ちているとは」

「今度の一件に、関わりがありましょうか」

兄や達の問いに、若だんなはしばし考え込んで……じきに、にこりと笑った。

「そうだね……うん、ありそうだ。大分見えてきた気がするよ」

まずと、若だんなが事を整理して口にした。

一つ、犯人は、直次と、おていと、磯吉の中にいる。

一つ、三人とも、玉の持ち主の店、天城屋には出入りしていない。天城屋は自分のことを三人に、わざわざ紹介していた。

一つ、八介は素晴らしい櫛を作る気で、張り切っていた。

一つ、玉はたぶん今、鳴家が持っている。行方不明。

一つ、中庭で拾ったビードロは、翡翠と見まごう美しさだった。しかし大して高直《こうじき》ではない。

「どうだい、大分、頭の中がきちんとしただろう？」

「あのお、頭の中はきちんとはしましたが、分かっていることは、前と変わりないような……」

「おや、どうしてだい。だって、ふ、ふいっ」

そのとき若だんながまた、くしゃみをした。今日、二度目だ。こうなったら問答無用だ。もう外にいることは許されなくて、若だんなはさっと佐助に抱えられ、離れの達磨《だるま》柄の火鉢の前に据えられてしまう。

仁吉がすぐに女中を呼び、『こがし湯』を持って来るよう言いつけた。『こがし湯』は米の粉にまぜものを加えた飲み物だ。長崎屋のものは、仁吉特製の分量書きで作られていて、薏苡《よくい》仁《にん》や茴香《ういきょう》や陳皮《ちんぴ》などが入っている。体を温めるからと、若だんなは茶と同じくらい頻繁に呑まされていた。

「……はああぁ」

あっという間に、綿入れを二枚着せられた若だんなが、大きくため息をつく。玉紛失の一件を解決する気で頑張っていたのに、ろくに調べも済まない内から、火鉢の前に張り付くことになったからだ。

「もし私が下っぴきだったら、役に立たなくて、すぐに首になっているだろうねえ」

外にしばらくいただけで具合を悪くしていては、鳶《とび》にも大工にも左官にもなれない。振り売りや、辻《つじ》にいる占い師だとて無理だろう。

「若だんなは長崎屋の跡取りなんですから、そんな仕事のことなんて、考えなくともいいんですよ」

佐助はあっさりと言うが、何となく話の大事なところが、ずれている気がする。だがまあ、部屋の中でもできる仕事はある。若だんなは気を取り直して、途切れてしまった先程の話から、片づけていくことにした。

「まずは、あの綺麗なビードロのことだけど、きっと犯人が持ち込んだものだろう。翡翠に見せかけたんだね」

「ああ分かりました。偽《にせ》の翡翠で、八介さんを引っかけたんですね。玉と交換してやるとか言って、八介さんを土蔵脇《わき》に呼び出したのでしょう」

得心した顔の兄や達に、若だんなは頷く。

「八介さんは、櫛の飾りに翡翠も使いたかったんだろう。一世一代の作品にしたかったんだね。なのに天城屋さんは地味な作りにこだわって、小さな珊瑚《さんご》以外、飾りを買ってくれない。それが偽物に引っかかった理由だと思う」

「偽翡翠は綺麗ですが、すぐに翡翠じゃないと分かる代物だ。騙《だま》し通せる訳もない。

犯人は端《はな》から八介さんを殴って、全部玉を取り上げるつもりだったんですね。八介さんが倒れている間に、長崎屋を出る算段だったか」

仁吉の言葉に、若だんなが頷く。しかし事は犯人の思うとおりには進まなかった。土蔵脇にいた鳴家が、店中に響き渡る悲鳴を上げてしまったのだ。すぐに騒ぎになり、犯人は店から逃げ出せなかった。しかも多分、鳴家に目当ての玉を、持ち逃げされてしまっている。

ここまでは、考えが当たっていると思う。問題は誰が犯人か、そしてどうやってあらかじめ、天城屋が高価な真珠を買う話を、摑《つか》んだのか、ということだ。三人とも天城屋とは繫《つな》がりが無いのだから。

若だんなが大きく息をついたとき、離れの廊下に足音がする。じきに襖《ふすま》が開くと、現れたのは女中ではなく兄の松之助であった。

「『こがし湯』を持ってきました」

盆に乗せた湯飲みを差し出しながら、気遣わしげに若だんなの顔色を見ている。若だんなが具合が悪くなると、松之助は女中に代わって、よく薬湯などを持ってきてくれる。そうして若だんなの様子を見ていくのだ。

「大丈夫だよ。まだ寝込むほどじゃないから」

仁吉の言葉に、松之助が頷いている。若だんなは『こがし湯』を受け取ってから、松之助に聞いてみた。

「ねえ兄さん、さっき店で起こったこと、聞いてる？」

「ええ、八介さんが殴られ、大きな真珠の玉が無くなったことでしょう？　犯人は誰かとか、八介さんの容態とか。あと女中達は、嫁入り道具だという真珠をあしらった櫛が、どんな豪華なものになるかと、それにも興味があるようで」

奥では、今この話で持ちきりなのだそうだ。ビードロの話題は出てこない。やはり女中の物ではないのだろう。得心した若だんなは、何気なく聞いたことを口にした。

「櫛は地味に作るみたいだよ。天城屋さんは毎日髪に挿《さ》しておけるような品にして欲しいと、注文したんだって」

「若だんな、そりゃあ無理ってもんですよ」

いきなり松之助が笑い出したので、若だんなは驚いて湯飲みを盆に置いた。どういうことなのだろうか。

「考えて下さいよ、若だんな。わざわざ琉球から取り寄せたほどの、特別大きな真珠を十一粒も付けるんですよ。それだけで、お大名道具のように華やかな櫛になります。どう工夫しようが地味になぞ、なりようがないですよ」

「あらまあ、そうなの」

「おや、そうなんですか」

「へえ」

若だんなと手代達が、揃って間の抜けた声を出したものだから、松之助は却《かえ》って驚いたようだった。しかし世間知らずの弟に、世の中のことを教えておかなくてはと思ったのだろう、話を続ける。

「珍《めずら》かな真珠が嫁入り道具だと聞いたとき、あたしは天城屋さんという方は、派手好きな方だと思いました。きっと嫁入り先でも、櫛のことは噂《うわさ》になりますよ」

「……そうなの、どう隠しても真珠の付いた櫛は、華やかで人目を引いてしまうんだね」

何やら暫《しばら》く考えて……若だんなは、「うん」と小さな声を上げた。

「佐助や、ちょいと確かめたいことが出来たんだよ。紙に書き出すから、出かけて聞いて来ておくれでないか。説明は後で」

若だんなが文机《ふづくえ》で何やら書いて渡すと、佐助が木戸に向かった。松之助は首を傾《かし》げていたが、湯飲みを覗《のぞ》きまだ中身が大分残っていると知ると、飲み干すよう若だんなを促す。

「駄目ですよ、残しちゃあ」

兄に言われると弱い。せっせと飲み……せっせ、せっせと努力して、ようやく若だんなは湯飲みの中身を空にした。『こがし湯』は好きだが、何にせよ一度に沢山口にするのは苦手なのだ。

松之助は若だんなが飲み終わると、湯飲みを持って母屋《おもや》に戻る。若だんなも母のところに顔を出すと言って、仁吉と共に母屋に向かった。早く行方知れずの鳴家《やなり》を捜し出さなくてはならないのだが……何だか今日は、とても忙しかった。

6

「落ちる、落ちる、落ちるよう、もう……だめだぁっ」

鳴家の乗っている欠け椀《わん》は、川からにょきりと突き出ていた太い杭《くい》に、引っかかっているところであった。

水の流れはすぐ近くから、はるかに下へ落ちていっている。水音が大きく響いていた。これが噂に聞いた、滝というものかもしれない。このまま椀と一緒に落ちたら、鳴家はきっと一巻の終わりであった。

「これじゃあ、いくらも持たないよ。思い切って、椀から降りないと」

まず杭に移って、そこから遠い岸を目指すのだ。杭は岸の方に何本か突き出ているのが見える。あれに飛び移っていかなくてはならない。問題といえば、杭と杭の間隔が、もの凄《すご》く離れているということだった。

「でも……」

やるしかない。鳴家は腰紐《こしひも》に天鵞絨《ビロード》の小袋をしっかりくくりつけると、両の手で杭にしがみついた。登ったり降りたりは得意だから、難なく杭の天辺《てっぺん》にはい上がる。下を見ると、鳴家が離れて軽くなったせいだろう、椀が杭から外れて、流れに乗っていた。

「あっ」

声を出している間に、音のする向こうへ落ちてしまう。もはや椀に戻ることは出来なくなってしまった。

「岸へ行かなきゃ。次の杭へ移らなきゃ」

鳴家は水から突き出た杭の上で、どうやればいいのか必死に考える。もっとも、勇気を出して隣へ飛び移るしかないのは分かっていたが、次の杭は余りにも遠くにあるように見えた。思い切って……。

飛んでいた。

（あれれ？）

まだ踏み切った覚えはない。妙な感覚に上を見れば、鳴家は鴉《からす》に腰紐を摑まれていた。鴉には鳴家が見えるらしい。そしてどう考えても、鴉は助けてくれたのではない。つまり……。

「お、お前、我を餌《えさ》にする気かい？」

普段家の内にいる鳴家は、鳥とは縁が薄かった。だが身の丈数寸、鴉にしてみれば、ちょうど良い大きさの獲物に見えたのだろう。

鳴家は顔を真っ赤にした。

7

若だんなは母おたえと居間で、お八つを頂きながら玉の一件のことを話していた。そのとき、母屋から大きな声が聞こえてくる。側《そば》にいた仁吉が何事かと、部屋を出て聞きにいった。すぐに戻ってくると、どうも玉が盗まれた一件は、あっさりとは片づかぬ様子だという。

「母屋に呼んだ三人の身の回りからは、真珠どころか、金粒一つ出てこなかったんですよ。未《いま》だに犯人は誰か分かりません。でも三人はそれぞれ仕事を抱えてるんで、そろそろ帰して欲しいと言いだして」

だがそれでは、高直な玉を盗まれた天城屋の方が収まらない。三人を帰すか、三人とも強引に引き留めるか、それともいっそ、日限《ひぎり》の親分に来てもらうか。藤兵衛は決断を迫られているのだ。

「日限の親分さんを呼ぶのかい？　親分さんは確かに岡っ引きだけど、すぐに犯人を捕まえられるかねえ」

おたえに聞かれて、若だんなは答えに詰まってしまった。

「あたしは無理だと思いますが」

仁吉がしれっとした顔で、きついことを言う。

「これ、駄目だよ、そんなこと言っちゃあ」

若だんなは一応たしなめたが、さすがに親分さんなら大丈夫、犯人が分かるとは言えなかった。日限の親分に、切れるように見事な手腕を期待するのは無理がある。事件が起こったとき、長崎屋の離れに泣きついてくる回数が、ちっとばかり多すぎるのだ。

「まだ佐助が帰ってきていないけど……」

ことの成り行きが心配になった若だんなは、仁吉共々、急いで廻船問屋長崎屋の居間に向かった。障子を開けると、疑われている三人は既に落ち着きを無くしている様子だ。若だんなの姿を見ると、磯吉が早々にしゃべりかけてきた。

「若だんな、私らからは何一つ、出ちゃあ来なかったんですよ。なのに天城屋さんが、玉が見つかるまで、誰も帰してくれるなと言い張って。私らは働かなきゃあ、おまんまが食えないのに」

天城屋にしてみれば、ここで誰かを外に出したら、玉は戻って来ないと感じるのだろう。しかしだからといって、期限を決めずに三人を、長崎屋に押し込めておく訳にはいかない。若だんなは、天城屋に顔を向けた。

「このままずっと、三人を止めてはおけませんよ。ここは番屋ではないですからね」

「おや、うれしや。やっと帰れるのかね」

磯吉が顔を輝かせた。おていも、ほっとした様子だ。気色ばんだのは天城屋で、思わず立て膝《ひざ》で若だんなに向き合う。今にも騒ぎが起きそうなそのとき、若だんなはその場の皆に、あと少しだけこのままで待っていてくれと言った。手代の佐助が、使いから戻ってくるまででよい。

「そうしたら三人の内、お二方は帰ってもらえます。残りの一名は、玉が見つかるまでここにいて貰《もら》いましょうかね」

「どうやって……その二人を決めるんです？」

三人はまた、不安げな様子に戻った。衆目の中、若だんながあっさりと告げる。

「残る一人は、今回の件の犯人ですよ」

部屋の中に、緊張が走った。

8

「誰が八介さんを殴ったか、分かったんですか？」

幾つもの驚きの声が重なる。若だんながやんわりと、言葉を正した。

「分かった、ではなくて、これから分かるんですよ」

「一太郎や、どういうことだい？」

一番落ち着いていて若だんなにそう尋ねたのは、藤兵衛だった。皆聞きたいことは同じらしく、他からは声も上がらない。若だんなは父親の横に座ると、二人の兄やと土蔵脇に行った時からの話を繰り返す。懐《ふところ》から庭で拾ったビードロの偽翡翠《にせひすい》を取り出すと、皆に見せた。犯人は、偽の翡翠をちらりと見せて、八介を信用させ騙《だま》したのだろう。その為にあらかじめ用意しておいた品だという考えに、藤兵衛も頷《うなず》く。

「するとなにかい、今回の件は、八介が一世一代の櫛《くし》を作りたいと願ったことから、起こったというのかい」

天城屋が驚いた顔をしている。若だんなは困った顔を浮かべ、それでも正直に言った。

「いえ、本当は……天城屋さんが、珍らかな真珠を多く付けた櫛を、おふささんの嫁入り道具にしようと思いついたとき、この件は始まっていたんですよ」

「えっ……」

天城屋は目を丸くしている。髪結いのおていが、目を見張った。

「あれまあ、大きな真珠を沢山、櫛に付けるんですか。さすがにお大尽《だいじん》は派手なことをなさる」

「いや、櫛は地味な作りにするつもりなんだ。そうして欲しいと、職人の八介に頼んであるから……」

言いかけた天城屋の言葉を、若だんなが遮った。

「天城屋さん、先程見た玉を思い浮かべて下さい。やはりあの玉を多く飾った櫛は、どう工夫しようが、人の目には華やかに映るみたいです。真珠は一粒だって、綺麗《きれい》な簪《かんざし》になるものだからと言われました」

　天城屋が声を失う。

「豪勢な嫁入り道具の櫛は、嫁ぎ先の町の噂に上りそうですね。何より先方の竹村屋のご両親が、派手な嫁だと苦々しく思うかもと、気を揉《も》んだ人がいたんです。誰でもない、櫛を贈られることになっている、おふささんのことです。そうだったんでしょう?」

　その話を聞いて、天城屋がそわそわとし始めた。確かにおふさは、真珠の付いた櫛など要らないと、何度も言っていたらしい。天城屋は娘が、高直《こうじき》すぎる品を遠慮しているものとばかり思っていたのだ。

「やはりそうですか」

　今回の件で若だんなが悩んだのは、犯人がどうやってあらかじめ、天城屋が高価な真珠を買う話を、摑《つか》んだかということだった。偽の翡翠を用意したのだ。随分前からこの話を知っていたに違いない。

　しかし居間に来てもらった三人は、天城屋には出入りしていない。長崎屋では玉の注文を受けはしたが、嫁入り道具の櫛の飾りに使うとは知らなかった。おふさの母親はもう亡《な》くなっている。だが他にもう一箇所、豪華な櫛の話が伝わった先があったのだ。

「分かりますか？」

若だんなの問いに、天城屋は首を振る。答えたのは藤兵衛だった。

「残る相談相手は許婚《いいなずけ》だね。おふささんは将来の連れ合いに、真珠のことを相談したんだ。そうなんだろう？」

若だんながにこりと笑った。

おふさが許婚の店、竹村屋で話したか、余所《よそ》でした話を、許婚が店内で口にしたのか。いずれにせよ、豪華な櫛の話は、竹村屋にも漏れたのだ。

「竹村屋に出入りしていて、今日長崎屋にいた者が誰か、今、佐助に確認に行ってもらってます。じきに分かるでしょう」

若だんながそこまで言うと、部屋の内から尖《とが》った声がした。直次だ。

「ここに、犯人かもしれない者が三人、雁首《がんくび》揃えているんだ。わざわざ竹村屋に聞きに行かずとも、直接聞けばいいでしょうに。あたしは竹村屋にも出入りしてますよ。だから犯人だと決めるんですか？」

不機嫌極まりない口調だ。おていが竹村屋とは縁がないと言ったものだから、一層眉間《みけん》の皺《しわ》を深くする。磯吉は竹村屋に行ったことはあるが、随分と前の話だと語った。

「若だんな、まさか己の推測だけで、あたしに罪を押っつけたりしないでしょうね」

直次が念を押してくる、若だんなが首を振った。

「使いにやった佐助が遅いのは、竹村屋さんに行っただけじゃあないからでね。その後、硝子《ガラス》師のところを回って貰ってるんだ。目当ての職人は、多分そんなに遠くに住まう者ではないだろう。腕が良くて、このような新しい試みも出来る者。そうはいまいから、じきに佐助も帰ってくるだろうよ」

若だんながそう言って、硝子の翡翠をもう一度、皆に見せる。濃い色硝子の裏に銀が張り付いた、美しい品だ。

「竹村屋さんと長崎屋に出入りしていて、こんな代物《しろもの》を作るよう、こっそり硝子師に頼んだ者。その者が、八介さんを殴った犯人なんだ。これは間違いない。名が分かったら、後のお二方はお帰りくださいな」

若だんなが話を締めくくった。皆の目線が、竹村屋と縁のある直次の方へそろりと集まる。直次の顔がだんだん白くなってきた。だがまだ言いつのっている。

「あたしは真珠玉を持っちゃあいなかった。あたしじゃない。そうだろう、そうだろう？」

直次は畳に両の手を着いて、唇を噛《か》みしめ、若だんなを睨《にら》み付けている。若だんなは少しばかり困った顔をすると、小さくため息をついた。

「確かにこれから、玉を捜さなきゃあならないよね。それが一番大変な気がする」

居間の内で、若だんなの言葉の意味が正確に分かっているのは、仁吉だけだと、若だんなには分かっていた。

9

その後人の出入りがあり、長崎屋は騒がしくなった。暫《しば》くして八介が目を覚まし、その知らせに皆が喜んだ。ただ頭を殴られたせいか、まだあまり物が言えず、ぼーっとしている。暫く様子を見ることが肝要との、源信の見立てであった。

それから少しして、佐助が長崎屋に帰ってきた。驚いたことに色とりどりの硝子の玉を、袱紗《ふくさ》に包んで持ち帰ってきた。どれも裏に銀箔を張り付け、光を含んで宝玉のように美しい。

「この通り、偽翡翠を作った職人を突き止めてまいりました。やはり品を頼んだのは直次のようです。奴《やつ》は、偽翡翠のことは他言無用と、職人に金を渡しておいたらしい」

職人は約束通り、端《はな》は直次の名も偽翡翠のことも、しゃべらなかった。

「だが、ビードロの裏に銀を貼《は》るやり方が面白かったらしく、この通り似た品を沢山作っていたんですよ」

これでは偽翡翠のことなど知らないと、言い抜けるのも難しい。おまけに佐助がこのビードロを気に入り、長崎屋で扱うと言いだしたものだから、じきに職人は直次の名前まで、あっさり白状したのだ。

「本当にいい工夫だよねえ。高直な品を騙し取るためなら、人は知恵を回せるらしい。直次を調べるのに、日限の親分さんが来ておいでなんだ。佐助、後でこの細工のことを、聞かれるかもしれないよ」

「おや、天城屋さんは、親分さんを呼んだのですか。嫌がってらしたのに」

天城屋は婚礼の品に傷が付くといって、今回の件をなるだけ内々で済ませたいと、言っていたのだ。

「さっきね、天城屋さんにおっかさんと少し、話していただいたんだ。そうしたら天城屋さんは、考えを変えたんだよ」

若だんなが先におたえと話したとき、おたえはおふさの身を案じていたのだ。

「おっかさんは天城屋さんに、娘さんに真珠なぞ持たせちゃ駄目だと言ったんだ。まあ……何とも変な理由だったんだけど」

剣呑《けんのん》だと、おたえは言ったのだ。

「真珠も翡翠も綺麗だから、おっかさんもそういうもので、私のために思い切り華やかな根付けや印籠《いんろう》を、作ってみたいのだそうな。でも、その品の噂《うわさ》が強盗を呼ぶのが恐ろしい。だからおっかさんは、私に派手な物は持たせないって言ったのさ。大事の息子が怪我《けが》をしたら大変だからって。その一言が効いたらしい」

天城屋はしばし考えたあと、あっさり意向を変えた。娘には地代の取れる地面などを買って、持たせることにすると言いだしたのだ。

「……おかみさんが若だんなに買って下さる品は、いつも十分、華やかなものだと思いますけどねえ。実はあれでも、我慢なさっていたんでしょうか。若だんな、おかみさんが山ほど真珠の付いた根付けを作ったら、どうしますか」

「勘弁だよ。根付けを帯に挟むとき、取れて落ちたらことじゃないか」

おたえがやっていることと、話したこととの間には、どうにもずれがある気がする。だが同じように甘い親から止められたからか、とにかく天城屋は納得したのだ。おふさが嫁入り道具に困り果てることが無くなったのだから、まずはほっとする話であった。

　真珠は長崎屋が引き取ることになった。藤兵衛はお大名相手にでも、売るつもりだという。

「あれは見事なものだから、姫君の婚礼用とかに、あっという間にさばけるだろうさ。問題はその真珠を、これから見つけてこなきゃならないということだよね」

「ああ、まだ鳴家《やなり》が見つかっていませんでしたね。玉を持ったままだ」

「さて、どこへ行っちゃったのやら」

　若だんな達は、顔を見合わせていた。

10

「馬鹿《ばか》にするな！　我は鴉《からす》なんぞの餌《えさ》じゃあないわ！」

　己が空に摑みあげられていることも忘れ、鳴家は顔を真っ赤にして怒った。がばと口を開け、思い切り鴉の足に嚙みついた。

「ぎゃ、ぎいーっ！」

　鴉が思い切り羽をばたつかせる。食べるつもりの獲物に、逆に囓《かじ》られるとは、初めての経験だったに違いない。

「鳥に食われかけたなんて知れたら、笑われる。また屛風《びょうぶ》のぞきに笑われるじゃないか」

腹立ち紛れに、もう一度がぶりとやる。鴉は一際《ひときわ》高く鳴くと、足の爪《つめ》を開いて思い切り体をよじった。気がつくと……鳴家はまた、空に放り出されていた。

「ぎゃぎゃぎゃぎゃぎゃっ」

今日何度目の悲鳴だろうか。ところが今度は、さして酷《ひど》く落下することなく、すぐに硬い物の上でぐえっと転がった。馴染《なじ》みの感触によく見てみれば、瓦《かわら》ではないか。鳴家は川縁《かわべり》に立つ、どこぞの家の屋根に落ちたらしい。

大きく息をついた。

そしてすぐに気配を感じ、端に行くと軒下を覗《のぞ》き込んでみる。数多《あまた》の見知らぬ鳴家達が、新参者を遠巻きにして見つめていた。

「……仲間だ」

声を出すと、何匹かが寄ってきた。小さな手で、ぴたぴたと鳴家を触る。同じ妖《あやかし》だと了解したのだろう、皆緊張を解いた様子で、嬉《うれ》しそうにぎしぎしと家を鳴らし始めた。

「ああ、我は助かったんだ」

ほっとした。だが泣きそうにもなった。相変わらず、ここがどこだか分からないし、若だんながいない。饅頭《まんじゅう》もない。憎たらしい屛風のぞきすら、ここにはいないのだ。

鳴家は皆と家を軋《きし》ませることをせず、一人「きゅわきゅわ」と鳴きだしていた。

11

「鳴家はこの土蔵の辺りで、直次と出会ってしまったと思う。玉にこだわっていたから、直次が玉を盗もうとしたら、怒っただろう。嚙みついたかもな」

若だんなと兄や達三人は、もう一度土蔵脇《わき》に来ていた。鳴家がどう動いたかを、三人で言い当てながら、先へ進むつもりであった。

「八介さんは、この辺りで倒れていました。手が地面のこの辺にあった」

仁吉が示した場所に、佐助が手を伸ばした。小石を拾う。その手に、鳴家の代わりに仁吉が、軽く爪を立てた。佐助が大きく腕を払いのけると、その拍子に佐助の手の中の小石が、塀の外へと飛んでいった。

「あっちへ行ったかな」

　三人は土蔵に近い方の木戸から外へ出た。長崎屋の近くには、堀川が東に向かって流れている。若だんなを歩かせる訳にはいかないと佐助が言い出し、三人は舟に乗った。

「いませんねえ。いくらなんでも、そう遠くまで飛んだわけが無し、何で長崎屋に戻って来られないのやら」

「ねえ、仁吉、まさかこの堀に落ちたんじゃないよね。鳴家って泳げたっけ」

「泳げるのと、泳げないのといますね。風呂場《ふろば》でご覧になったことがあるでしょう？」

「そうだった」

　たまに若だんなとお風呂に入るとき、立ち泳ぎをする鳴家もいたが、盥《たらい》に乗ったまま離れないのも確かにいる。まさか溺《おぼ》れたのではと、若だんなが不安げに水面を見る。仁吉が若だんなに、今日は甘い物を袖《そで》の中に持っているかと問うた。

「いただいたお饅頭の残りと、花林糖《かりんとう》ならあるよ」

　饅頭を一つ受け取ると、仁吉はゆるりと進む舟の縁から、水に向かって何やら話しかけている。じきに舟の影かと見まごうような大きな姿が、水面近くに上がってきた。

「うわあ、これ……魚かい？」

「青君《せいくん》。ここいらの堀の主《ぬし》ですね」

まず饅頭をその大きな口に放り込んだあと、小鬼を見なかったかと青君に聞く。するとと青君は、この饅頭なら先程も食べたと言いだした。美味ゆえに覚えているのだそうだ。

「饅頭をくれたのは、小鬼じゃなかったかい？　その子はどうなった？」

「溺れていたゆえ、椀《わん》に乗せてやった。流れていったよ」

「有り難い。この先にいるのか」

若だんなは更に二つ、青君に饅頭をあげると、先へ目をやる。随分時が経《た》ったが、椀はどこまで流れていったろうか。

一つ橋をくぐり、更に白魚橋を出たところで、堀川はぐっと幅を増し十の字に交わっていた。端近くに何本かある杭《くい》の辺りに落差があり、水がすこしばかり音を立てて落ちている。

「この場所を、椀に乗った鳴家が無事に通れたかしら。舟だって行き来してるし、ひっくり返っちゃいないだろうね」

若だんなが不安げに、眉《まゆ》を顰《ひそ》めた。

その時、急に顔を岸に向ける。

「ねえ、鳴家の声がしたよ」

「ああ、岸に古い家が並んでいますね」

あっさりと佐助が言った。鳴家は家を軋ませる妖だから、あちこちに住み着いているのだ。だが若だんなは耳を澄ませ、岸辺を見つめている。

「だって、うちの子の声がした気がするんだよ。ほら、あの声がそうじゃないかい」

「……若だんな、あのきゅわきゅわ、ぎゃいぎゃい鳴いている声の、聞き分けがつくんですか？」

「ほら、また聞こえた」

呆《あき》れる兄《にい》や達を急《せ》かして、若だんなは舟を岸に着けてもらう。そのまま川沿いの古い建物に沿って、歩き出した。

「鳴家は川を流れていったはずですよ。本当にここら辺の家の中から、声がしたんですか？」

「若だんな、あまり歩くと疲れますよ」

佐助も仁吉も、ぶつぶつとこぼしている。そのとき若だんなは、代わり映えのしない一軒に顔を向けた。

「きゅわわわわぁーっ」

情けないような、悲しげな声がしたのだ。若だんなを呼んでいるように思えた。

「うちの子だ！　ここにいるよ」

伸び上がって、軒の辺りに目を凝らす。その様子に、佐助がやれやれと言いだした。

「確かめないと気が済まないでしょうね。いいです、あたしが見てきますから」

そう言うなり！　佐助は家の戸板の端に指をかけ、指の力だけでその体をふわりと持ち上げた。あっという間に軒に手を掛け、そのまま力業で、屋根までさっさと上がってしまう。

「うわあ、凄《すご》いこと」

若だんなが目を丸くしている間に、更に驚くようなことになった。

「ぎゅわーっ」

「うわっ」

二つの声が重なったと思ったら、佐助が屋根の端から落ちそうになったのだ。

「佐助っ」

だが若だんなが驚いている間に、佐助はひょいととんぼを切ると、地面に降り立つ。その手に、小鬼を一匹抱えていた。

「全く、危ないったら。上がったとたん、こいつが飛びついて来たんで、驚いて足を滑らせてしまいました。こらっ、お前、どういう気なんだい？」

「いなくなったうちの子だよ。間違いないよ」

若だんなの言葉を聞きながら、鳴家は泣きべそをかいている。

「若だんな、鳴家は他にも一杯いますよ」

佐助が家の軒を指さす。確かに山のようにいた。下から見られているのが気になるのか、こちらの様子を窺《うかが》っている。

しかし若だんなは、目の前の子が長崎屋の鳴家だと譲らない。そのとき仁吉が佐助が持っている鳴家に、ある質問をした。

「鳴家や、三春屋《みはるや》の栄吉《えいきち》さんが作る饅頭の味は、いかがかな？」

「不味《まず》い！」

即答が返ってきた。兄や達が笑い出す。

「ああ、こりゃ間違いなく、長崎屋の鳴家ですよ」

「仁吉、その質問は酷いよ」

あきれた声を出す若だんなに、小川を作るほどに涙を流した鳴家が、必死に飛びついてきてすがった。

12

（若だんなだ。鳴家の若だんなだ。ちゃんと我の声を、聞き分けてくれた！）

「ぎゅわわわわ……」

しがみついたあと、とにかくもうはぐれるのは嫌だとばかりに、鳴家は若だんなの袖の中に潜り込む。そうしたら、そこには思いがけず、饅頭や花林糖が入っていた。急に腹が減っていたことを思いだし、鳴家はさっそく花林糖を抱えて、がりがり食べ始める。すると佐助の厳しい声が聞こえてきた。

「こらっ、鳴家！　若だんなの袖の中で菓子を食べちゃあ、駄目だろうが」

かすが袖の内に散らばるからと、手が突っ込まれてきて、つまみだされそうになる。鳴家は袖の中で逃げ回る。危なかったが、佐助の手は鳴家が腰に挟んでいた袋に触ると、それを摑《つか》んで消えた。月の玉の入った小袋だった。

（月の玉を取られちゃった！　でも若だんながいるのかな？　なら手放してもいいや）

鳴家は一つ頷《うなず》くと、また花林糖を齧《かじ》り始める。

「おお、これは……。若だんな、やはり鳴家が持っていましたよ」

袖口から覗くと、佐助が小袋から玉を取り出し、手のひらに乗せ若だんなに見せていた。明るい光の下、玉は昼間空に浮いている月のように美しい。

「これを守りきったなんて、鳴家はお手柄だよ。堀川に流されるなんて、色々大変だったろうに偉いこと。後でご褒美《ほうび》をあげなくてはね」

何やら嬉しい若だんなの声が聞こえる。

(でも……堀川?)

言われて外を見てみると、目の前に流れる川は、確かに大して広くはないように見える。空も普通の高さに戻っていた。

(あれれ?)

不可思議だとは思ったが、これは若だんながいるせいかもしれない。

(きっとそうだね)

鳴家はまたもそもそと袖の奥に戻ると、食べ続けた。大きな花林糖を一つ平らげ、更に見覚えのある饅頭にぱくりと囓りつく。どれも大層美味《おい》しかった。

(そう言えば川の主も、美味だと言ってたっけ)

体が温まり安心すると、鳴家は目を開けていられなくなってきた。袖の中にあった手ぬぐいにくるまると、大層気持ちが良い。

でもまだ、寝ては駄目だと思う。若だんなに、月の玉がいかに危なかったか、話さなくてはならない。屛風のぞきに今度の凄い冒険を語って、自慢してやりたい。

鳴家はおまけの役立たずでは無いと言ってやるのだ！

それに何といっても一番誇らしいのは、若だんなが、たくさんの余所《よそ》の鳴家の中から見つけ出してくれたことだ。

凄い。まったく凄い！

鳴家は嬉しくて泣けてきて、でも、もうへとへとだった。大声を出したいような笑いたいような、妙ちきりんな気分で、きっと今は変な顔をしているに違いない。気分はとっても良いのに……涙が出るのは、どうにも変だと思う。でもそうなのだ。

（ああ、もう……ねむういよぉ）

鳴家は手ぬぐいを頭にまでかける。すぐに、もの凄く気持ちが良くなった。目をつぶる。今は何の心配も要らなかった。

解説

谷原章介

第十三回日本ファンタジーノベル大賞優秀賞を受賞した畠中恵さんのデビュー作『しゃばけ』から数えて、この『おまけのこ』は四作目にあたります。廻船《かいせん》問屋兼薬種問屋「長崎屋」の若だんな一太郎《いちたろう》と、どこかコミカルな味わいのある妖怪《ようかい》たちは、ますます元気一杯です。いえ、お体の弱い若だんなは、相変わらず寝込んでばかりなのですが。

人ならぬ妖《あやかし》の血を引く若だんなと、若だんなの周りに集まる妖たちが、お江戸を騒がす難事件や奇妙な相談事を力を合わせて解決するという大まかな筋立ては、いまや黄金のお約束とも言えるでしょう。一つの決まった形を踏みながら、しかし、「しゃばけ」作品はいつも必ず新鮮です。デビュー作で描かれた物語世界には、新作が登場するたびに、生き生きとした別の表情が見えてきます。まるで神様が、「今回は、いままで気になっていたこの場所にズームインしてみよう」とばかり、いろいろ工夫をしながら見渡しているかのように。

誰にも、妖怪仲間からすらも忌《い》み嫌われる哀《かな》しい妖が登場する「こわい」。

左官の漆喰《しっくい》仕事みたいだなどとからかわれるほどの厚化粧が止《や》められない娘の心を、いつもは皮肉屋の屏風《びょうぶ》のぞきが解きほぐす「畳紙《たとうがみ》」。

五つのころの一太郎ぼっちゃんの初推理が冴《さ》える「動く影」。

なんと（！）あの若だんなが吉原の禿《かむろ》の足抜けに一役買うと宣言する「ありんすこく」。

そして、仲間とはぐれた鳴家《やなり》の大冒険が愛《いと》おしい表題作の「おまけのこ」。

もうお読みになった方にはきっと頷《うなず》いていただけると思うのですが、本書に収録されたこの五つの短編には、いずれもハッとさせられたりドキリとさせられる瞬間があります。

新しい作品を読むごとに、物語世界の豊かさを発見する。そんなシリーズ小説ならではの楽しみを心ゆくまで味わいたいなら、畠中恵さんの「しゃばけ」は、まさにうってつけなのです。

＊

「しゃばけ」は、ある意味では「気付くことの物語」なのだと思います。

寝付いてばかりの身でも智恵《ちえ》を使えばみんなの役に立つんだと気付いた、まだ五つの一太郎。厚化粧をすることで「どこか安全な場所に隠れたかのように」ほっとしている自分と、それを口に出さずとも心配していた祖父母の胸中に気付いたお雛《ひな》さん……。他人に言えない悩みや劣等感を抱えながらも、ある日、自分の心に向き合う方法が少しだけ分かってくる「しゃばけ」の登場人物たちの姿に、いつかのあなたが重なって見えたことはありませんか？

ただ、「気付くこと」は同時に、新しい謎《なぞ》が目の前に現れるということなのかもしれません。この世にある人の気持ちは、百万の不思議に思える——。「ありんすこく」の幕切れ近くでは、一太郎が心の中で漏らした、こんな呟《つぶや》きが聞こえてきます。

〈この世にある人の気持ちは、百万の不思議に思える。

金の亡者《もうじゃ》と言われている妓楼《ぎろう》の楼主が、金よりも遊女を取った。

禿が姉妹のような子に、酷《ひど》いと己で承知しながらも、理不尽なことをした。（中略）

「どうしてかしら……」〉

何かに気付いても気付いても、その先にはまた不思議がある。「人の気持ち」を相手にすれば、不思議に限りというものはない。「しゃばけ」の世界は、あたかも広がり続ける宇宙のように、どんどん奥行きを深めて行きます。

いつも謎解きの鍵《かぎ》になる鋭い推理をめぐらせるため、「訳の分からないことの肝心な理由を摑《つか》むのは、大層うまい」と屛風のぞきが信頼を寄せる若だんなも、実はぼくたちと同じように不思議を感じることの連続なのだと想像すると、「しゃばけ」の世界は一層、身近に感じられます。

＊

この不思議の裏側には、科学の視点だけでは忘れられてしまいがちな、畏《おそ》れや憧《あこが》れの感情があるように思えます。マリアナ海溝の底を、ぼくたちはまだ知りません。あるいは、銀河系の果ての様子を知っているわけでもありません。もちろん、科学技術の粋を凝らした探索船などを使えば、データを集めることは可能です。でも、そうして細分化された知識を集めれば、本当に何かを「知る」ことになるのでしょうか。「地上と空中の電極の間を電流が流れるのが雷だ」というアプローチと、「雷様が雲の上でドロドロと太鼓を鳴らしている」というアプローチと、どちらがわくわくするのでしょうか。

もし世界の主役に「人の気持ち」を据えるなら、「雷様」の方が、かえってふさわしいように感じます。あの虎皮《とらがわ》を腰に巻いた鬼には、ぼくたちの畏れや憧れ、つまり人間の明確に説明するのは難しいさまざまな感情が投影されているわけですから。

妖怪もまた、「雷様」と同じように、その事象をはっきりとは理解できないぼくたち自身の感情が、形をとったものだと言えるでしょう。

お伝えしたいのは、「しゃばけ」の妖怪たちが、とても人間味に溢《あふ》れていることです。かわいらしく、愛らしく、時には胸の奥の葛藤《かっとう》に苦しむ存在です。この「妖怪＝分からないもの」もある意味では人間自身の分身だとすれば、彼らがぼくたちの世界にごく自然に溶け込んでいるところに、「人の気持ち」に対する畠中さんの限りなく温かな視線を感じます。自分でもよくわからない感情すらもしっかり見つめておきたいという、この「しゃばけ」の世界観は、本物の優しさに溢れています。

＊

もちろん、「しゃばけ」の世界は、甘いばかりではありません。

「しゃばけ」とは、漢字で書けばすなわち「娑婆気」。国語大辞典『言泉』によれば、「俗世間における、名誉・利得などのさまざまな欲望にとらわれる心」という意味だそうです。ひらがなになると見過ごしがちですが、意外に厳しく、重い言葉であると思いませんか？　このザラリとした感触は何なのか。

この『おまけのこ』の中でも、たとえば、「こわい」の主人公・狐者異《こわい》は生まれついての「妄念と執着の塊」であり、仲間の妖からも、仏さまからさえも徹底して忌み嫌われるという、シリーズの中で特別に哀しい性格を与えられたキャラクターだと言えるでしょう。
　妖として長い長い年月を生きてきた長崎屋の二人の手代、仁吉《にきち》と佐助《さすけ》は、一太郎に向かってこんなことを語っています。
〈「狐者異と関わると、不幸の三つや四つが降ってくるのは、覚悟せねばなりません。そんな身を哀れに思ったからでしょう、それを承知で狐者異を受け止めようとした者も、今までにいたことはいたのです」(中略)
「ですが受け止めきれた者を、あたしはまだ知りません」〉
　狐者異をなんとかしてやろうと考えるなど「思い上がりに近い」とまで、二人は一太郎に告げました。
　一太郎も、それを頭では分かったのです。実際、飲めばたちまち職人としての腕が上がるという秘薬を狐者異から手に入れようとした日限《ひぎり》の親分さんたちは、思わぬ大怪我《けが》を負いました。ですが、一太郎は狐者異を救いたいという心を抑え切れません。ついに長崎屋の離れに置いてやろうと意を決し、他の妖たちとの間を取り持つから「少し耳に痛いことを言われても、驚かないでおくれ」と狐者異を諭し始めるのですが……。

ラストシーンは圧巻です。

〈「なんだい、優しいような口をきくと思ったのに、お前も嫌な奴《やつ》なのか！」

狐者異の声が震えている。その言葉が、若だんなの申し出を断ち切る。（中略）

「お聞きよ、狐者異。中においでと言っているんだよ。でも色々あったんだから、直《す》ぐには皆に受け入れられないかもしれない。だけどそのうちに……」

「なんで皆、おいらに優しくしてくれないんだ！　我慢なんて嫌なこった。酷いよ。離れにいる妖達なんて、嫌いだよっ」〉

＊

世の中にはどうにもできないことがあると知る、この苦さ、強烈なリアリティー。それでも一太郎は、あくまで優しいのです。時には自分の言葉が友達を傷つけたことに苦しみながら、そして時には周囲が注いでくれる愛情が自分を縛るように感じて戸惑いながら、やっぱり最後は「人の気持ち」の不思議に思いを馳《は》せていくのです。

絶対に温かい。でも、リアルだからほろ苦い——。「しゃばけ」の世界へ、ようこそ！


（平成十九年十月、俳優）

この作品は平成十七年八月新潮社より刊行された。

畠中恵著　しゃばけ
日本ファンタジーノベル大賞優秀賞受賞

大店の若だんな一太郎は、めっぽう体が弱い。なのに猟奇事件に巻き込まれ、仲間の妖怪と解決に乗り出すことに。大江戸人情捕物帖。

畠中恵著　ぬしさまへ

毒饅頭に泣く布団。おまけに手代の仁吉に恋人だって？　病弱若だんな一太郎の周りは妖怪がいっぱい。ついでに難事件もめいっぱい。

畠中恵著　ねこのばば

あの一太郎が、お代わりだって?!　福の神のお陰か、それとも…。病弱若だんなと妖怪たちの「しゃばけ」シリーズ第三弾、全五篇。

米村圭伍著　退屈姫君伝

五十万石の花嫁は、吉か凶か！　退屈しのぎの謎解きが、大陰謀を探り当てたから、さあ大変。好評『風流冷飯伝』に続く第二弾！

米村圭伍著　退屈姫君 海を渡る

江戸の姫君に届いた殿失踪の大ニュース。海を渡り、讃岐の風見藩に駆けつけた姫は、敢然と危機に立ち向かう。文庫書き下ろし。

米村圭伍著　紀文大尽舞

蜜柑船の立志伝など嘘っぱち。戯作者の卵・お夢が、豪商・紀伊国屋文左衛門の陰謀を暴く。将軍継承を巡る大江戸歴史ミステリー。

宮部みゆき著

本所深川ふしぎ草紙

吉川英治文学新人賞受賞

深川七不思議を題材に、下町の人情の機微とささやかな日々の哀歓をミステリー仕立てで描く七編。宮部みゆきワールド時代小説篇。

宮部みゆき著

かまいたち

夜な夜な出没して江戸を恐怖に陥れる辻斬り〝かまいたち〟の正体に迫る町娘。サスペンス満点の表題作はじめ四編収録の時代短編集。

宮部みゆき著

幻色江戸ごよみ

江戸の市井を生きる人びとの哀歓と、巷の怪異を四季の移り変わりと共にたどる。〝時代小説作家〟宮部みゆきが新境地を開いた12編。

宮部みゆき著

初ものがたり

鰹、白魚、柿、桜……。江戸の四季を彩る「初もの」がらみの謎また謎。さあ事件だ、われらが茂七親分――。連作時代ミステリー。

宮部みゆき著

平成お徒歩《かち》日記

あるときは、赤穂浪士のたどった道。またあるときは箱根越え、お伊勢参りに引廻し、島流し。さあ、ミヤベと一緒にお江戸を歩こう！

宮部みゆき著

あかんべえ（上・下）

深川の「ふね屋」で起きた怪異騒動。なぜか娘のおりんにしか、亡者の姿は見えなかった。少女と亡者の交流に心温まる感動の時代長篇。

北原亞以子著　傷　慶次郎縁側日記

空き巣のつもりが強盗に――お尋ね者になった男の運命は？　元同心の隠居・森口慶次郎の周りで起こる、江戸庶民の悲喜こもごも。

北原亞以子著　再会　慶次郎縁側日記

幕開けは、昔の女とのほろ苦い〝再会〟。窮地に陥った辰吉を救うは、むろん我らが慶次郎。円熟の筆致が冴えるシリーズ第二弾！

北原亞以子著　おひで　慶次郎縁側日記

深傷を負って慶次郎のもとに引き取られた娘に、再び振り下ろされた凶刃。怨恨か、恋のもつれか――。涙ほろりのシリーズ第三弾。

北原亞以子著　峠　慶次郎縁側日記

一瞬の過ちが分けた人生の明暗。過去の罪に縛られて捩れてゆく者たちに、慶次郎の慈悲の心は届くのか――。大好評シリーズ第四弾。

山本一力著　いっぽん桜

四十二年間のご奉公だった。突然の、早すぎる「定年」。番頭の職を去る男が、一本の桜に込めた思いは……。人情時代小説の決定版。

山本一力著　辰巳八景

江戸の深川を舞台に、時が移ろう中でも変わらぬ素朴な庶民生活を温かな筆致で写し取る。まさに著者の真骨頂たる、全8編の連作短編。

乙川優三郎著
五年の梅
山本周五郎賞受賞

主君への諫言がもとで蟄居中の助之丞は、ある日、愛する女の不幸な境遇を耳にしたが……。人々の転機と再起を描く傑作五短篇。

乙川優三郎著
かずら野

妾奉公に出された菊子は、主人を殺した若旦那と出奔する破目に——。かりそめの夫婦として生きる二人の運命は？　感動の時代長篇。

乙川優三郎著
むこうだんばら亭

流れ着いた銚子で、酒亭を営む男と女。店には夜ごと、人生の瀬戸際にあっても逞しく生きようとする市井の人々が集う。連作短編集。

宇江佐真理著
春風ぞ吹く
—代書屋五郎太参る—

25歳、無役。目標・学問吟味突破、御番入り——。いまいち野心に欠けるが、いい奴な五郎太の恋と学問の行方。情味溢れ、爽やかな連作集。

宇江佐真理著
深尾くれない

短軀ゆえに剣の道に邁進し、雖井蛙流を起こした鳥取藩士・深尾角馬。紅牡丹を愛した孤独な剣客の凄絶な最期までを描いた時代長編。

幸田真音著
あきんど（上・下）
—絹屋半兵衛—

古着商の主人が磁器の製造販売を思い立った。窯も販路も藩許もないが、夢だけはある。近江商人の活躍と夫婦愛を描く傑作歴史長篇。

北村鮭彦著　おもしろ大江戸生活百科

「十両盗めば首がとぶ」「大名は風呂桶持参で参勤交代」など、意外で新鮮な〝江戸の常識〟が一読瞭然。時代小説ファンの座右の書。

北村鮭彦著　お江戸吉原ものしり帖

吉原は江戸文化の中心地。遊女のヘアの手入れから、悲恋話、客の美学まで。遊廓のことが何でもわかる、時代小説ファン必読の書！

諸田玲子著　誰そ彼れ心中

仕掛けられた罠、思いもかけない恋の道行き。謎が謎を呼ぶサスペンスフルな展開、万感胸に迫る新感覚時代ミステリー。文庫初登場！

諸田玲子著　幽恋舟

闇を裂いて現れた怪しの舟。人生に疲れた男は狂気におびえる女を救いたいと思った……謎の事件と命燃やす恋。新感覚の時代小説。

諸田玲子著　お鳥見女房

幕府の密偵お鳥見役の留守宅を切り盛りする女房・珠世。そのやわらかな笑顔と大家族の情愛にこころ安らぐ、人気シリーズ第一作。

諸田玲子著　恋ぐるい

稀代の才人、平賀源内には慕い寄り添う女がいた——牢獄に繋がれた男が、回想と妄想のなかで綴る女との交情、狂おしい恋の日々。

佐々木 譲著
黒頭巾旋風録
駿馬を駆り、破邪の鞭を振るい、悪党どもを懲らしめ、風のように去ってゆく。その男、人呼んで黒頭巾。痛快時代小説、ここに見参。

佐々木 譲著
天下城（上・下）
鍛えあげた軍師の眼と日本一の石積み技術を備えた男・戸波市郎太。浅井、松永、織田、群雄たちは、彼を守護神として迎えた——。

平岩弓枝著
橋の上の霜
苦しみながらも恋に生きた男——江戸庶民を熱狂させた狂歌師・大田蜀山人の半生を、細やかな筆致で浮き彫りにした力作時代長編。

平岩弓枝著
花影の花
—大石内蔵助の妻—
「忠臣蔵」後、秘められたもう一つの人間ドラマがあった。大石未亡人りくの密やかな生涯が蘇って光彩を放つ。吉川英治文学賞受賞作。

平岩弓枝著
平安妖異伝
あらゆる楽器に通じ、異国の血を引く少年楽士・秦真比呂が、若き日の藤原道長と平安京を騒がせる物の怪たちに挑む！ 怪しの十編。

平岩弓枝著
魚の棲む城
世界に目を向け、崩壊必至の幕府財政再建を志して政敵松平定信と死闘を続ける、田沼意次のりりしい姿を描く。清々しい歴史小説。

隆慶一郎著

吉原御免状

裏柳生の忍者群が狙う「神君御免状」の謎とは。色里に跳梁する闇の軍団に、青年剣士松永誠一郎の剣が舞う、大型剣豪作家初の長編。

隆慶一郎著

鬼麿斬人剣

名刀工だった亡き師が心ならずも世に遺した数打ちの駄刀を捜し出し、折り捨てる旅に出た巨軀の野人・鬼麿の必殺の斬人剣八番勝負。

隆慶一郎著

かくれさと苦界行

徳川家康から与えられた「神君御免状」をめぐる争いに勝った松永誠一郎に、一度は敗れた裏柳生の総帥・柳生義仙の邪剣が再び迫る。

隆慶一郎著

一夢庵風流記

戦国末期、天下の傾奇者《かぶきもの》として知られる男がいた！　自由を愛する男の奔放苛烈な生き様を、合戦・決闘・色恋交えて描く時代長編。

隆慶一郎著

影武者徳川家康（上・中・下）

家康は関ヶ原で暗殺された！　余儀なく家康として生きた男と権力に憑かれた秀忠の、風魔衆、裏柳生を交えた凄絶な暗闘が始まった。

隆慶一郎著

死ぬことと見つけたり（上・下）

武士道とは死ぬことと見つけたり――常住坐臥、死と隣合せに生きる葉隠武士たち。鍋島藩の威信をかけ、老中松平信綱の策謀に挑む！

新潮文庫最新刊

いしいしんじ作
植田真絵
絵描きの植田さん
その瞬間、世界が色つきになった——。白い森のなかに互いをさがす、絵描きと少女。植田真の絵とともに贈る奇跡のような物語。

佐伯一麦著
あんちゃん、おやすみ
男の子には突破しなければならない関門がある。メンコ、自転車、水泳、ケンカ、探検、恋心……。儚くも美しい季節を紡ぐ名品47編。

田口ランディ著
モザイク
逃げだした少年を求めて、渋谷の街をさまよう「移送屋」ミミは、「救世主救済委員会」と出会う……妄想と現実の間の鮮烈な世界を描く。

海道龍一朗著
乱世疾走
禁中御庭者綺譚
群雄割拠の戦乱で、台頭する織田信長。帝を守護する若き異能者たちは、信長の覇道を危ぶみ、戦国の世を疾駆して秘かに闘い始めた。

よしもとばなな著
愛しの陽子さん
—yoshimotobanana.com 2006—
みんな、陽子さんにぞっこんさ！　ボリュームアップ、装いも新たに、さらに楽しくお届けする「ドットコム」。シリーズリニューアル！

江原啓之編著
もっと深くスピリチュアルを知るために
幸福な生のためには、「あの世」への正しい理解が不可欠。スピリチュアル・カウンセラーの著者が教える、本当の霊的世界とは。

おまけのこ

新潮文庫　は－37－4

平成十九年十二月一日発行

著者　畠《はたけ》中《なか》恵《めぐみ》

発行者　佐藤隆信

発行所　株式会社新潮社

郵便番号　一六二－八七一一
東京都新宿区矢来町七一
電話 編集部(〇三)三二六六－五四四〇
読者係(〇三)三二六六－五一一一
http://www.shinchosha.co.jp

価格はカバーに表示してあります。

乱丁・落丁本は、ご面倒ですが小社読者係宛ご送付ください。送料小社負担にてお取替えいたします。

印刷・大日本印刷株式会社　製本・憲専堂製本株式会社

ISBN978-4-10-146124-3 C0193